4주 완성 스케줄표

공부한 날		주	일	학습 내용
월 일		**1주**	도입	1주에는 무엇을 공부할까?
			1일	(세 자리 수)×(한 자리 수) (1), (2)
월 일			2일	(세 자리 수)×(한 자리 수) (3), (4)
월 일			3일	(몇십)×(몇십), (몇십몇)×(몇십) / (몇)×(몇십몇)
월 일			4일	(몇십몇)×(몇십몇) (1), (2)
월 일			5일	(몇십)÷(몇) (1), (2)
			평가 / 특강	누구나 100점 맞는 테스트 / 창의·융합·코딩
월 일		**2주**	도입	2주에는 무엇을 공부할까?
			1일	(몇십몇)÷(몇) (1), (2)
월 일			2일	(몇십몇)÷(몇) (3), (4)
월 일			3일	(세 자리 수)÷(한 자리 수) (1), (2)
월 일			4일	(몇십몇)÷(몇), (세 자리 수)÷(한 자리 수) / 계산이 맞는지 확인하기
월 일			5일	원의 중심, 반지름, 지름 / 원의 성질
			평가 / 특강	누구나 100점 맞는 테스트 / 창의·융합·코딩
월 일		**3주**	도입	3주에는 무엇을 공부할까?
			1일	컴퍼스를 이용하여 원 그리기, 원을 이용하여 여러 가지 모양 그리기
월 일			2일	분수로 나타내기, 분수만큼은 얼마인지 알아보기 (1)
월 일			3일	분수만큼은 얼마인지 알아보기 (2), 여러 가지 분수 (1)
월 일			4일	여러 가지 분수 (2), 분모가 같은 분수의 크기 비교하기
월 일			5일	들이의 단위, '몇 L 몇 mL'와 '몇 mL'로 나타내기
			평가 / 특강	누구나 100점 맞는 테스트 / 창의·융합·코딩
월 일		**4주**	도입	4주에는 무엇을 공부할까?
			1일	들이의 덧셈, 뺄셈
월 일			2일	무게의 단위, '몇 kg 몇 g'과 '몇 g'으로 나타내기
월 일			3일	무게의 덧셈, 뺄셈
월 일			4일	표 알아보기, 자료를 수집하여 표로 나타내기
월 일			5일	그림그래프, 그림그래프로 나타내기
			평가 / 특강	누구나 100점 맞는 테스트 / 창의·융합·코딩

공부한 날을 표시하고 하루하루 학습 내용을 살펴보세요.

Chunjae
Maketh
Chunjae

▼

기획총괄	박금옥
편집개발	윤경옥, 박초아, 김연정,
	김수정, 김유림, 남태희
디자인총괄	김희정
표지디자인	윤순미
내지디자인	박희춘, 이혜미
제작	황성진, 조규영

발행일	2021년 3월 1일 초판 2024년 5월 15일 3쇄
발행인	(주)천재교육
주소	서울시 금천구 가산로9길 54
신고번호	제2001-000018호
고객센터	1577-0902

똑 똑 한

하루
수학

3·2

배우고 때로 익히면
또한 기쁘지 아니한가.
- 공자 -

주별 Contents

똑똑한 하루 수학

이 책의 특징

도입 | 이번 주에는 무엇을 공부할까?

이번 주에 공부할 내용을 만화로 재미있게!

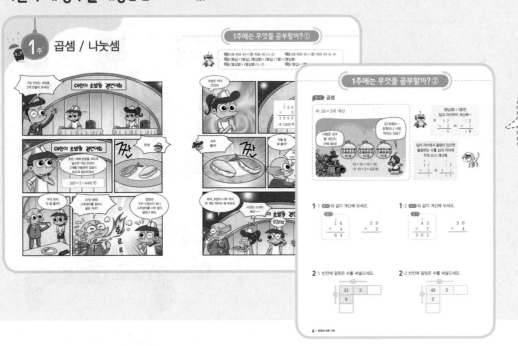

> 반드시 알아야 할 개념을 쉽고 재미있는 만화로 확인!

개념 완성 | 개념 · 원리 확인

교과서 개념을 만화로 쏙쏙!

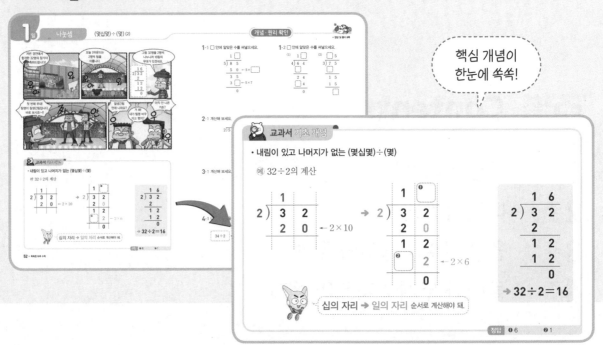

> 핵심 개념이 한눈에 쏙쏙!

기초 집중 연습

반드시 알아야 할 문제를 반복하여 완벽하게 익히기!

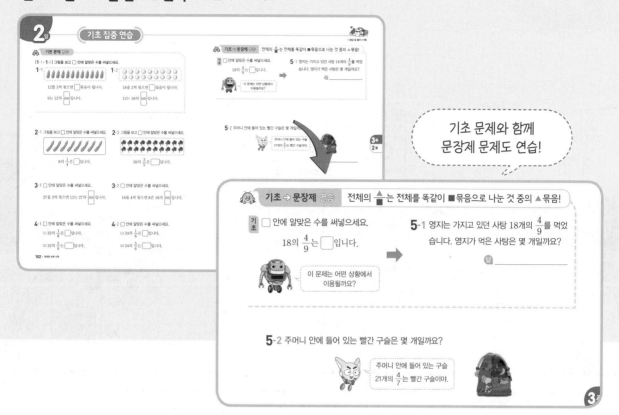

기초 → 문장제 연습 전체의 ▲/■ 는 전체를 똑같이 ■묶음으로 나눈 것 중의 ▲묶음!

기초 ☐ 안에 알맞은 수를 써넣으세요.

18의 $\frac{4}{9}$는 ☐입니다.

이 문제는 어떤 상황에서 이용될까요?

5-1 영지는 가지고 있던 사탕 18개의 $\frac{4}{9}$를 먹었습니다. 영지가 먹은 사탕은 몇 개일까요?

답 _____

5-2 주머니 안에 들어 있는 빨간 구슬은 몇 개일까요?

주머니 안에 들어 있는 구슬 21개의 $\frac{4}{7}$는 빨간 구슬이야.

평가 + 창의·융합·코딩

한 주에 배운 내용을 테스트로 마무리!

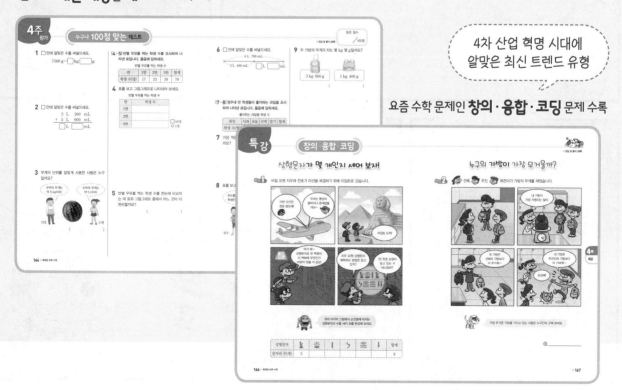

4차 산업 혁명 시대에 알맞은 최신 트렌드 유형

요즘 수학 문제인 **창의·융합·코딩** 문제 수록

1주 곱셈 / 나눗셈

3-1 곱셈

예 10 × 3의 계산

10+10+10=30
➡ 10×3=30(개)

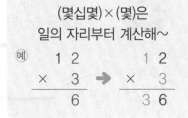

(몇십몇)×(몇)은
일의 자리부터 계산해~

예

$$\begin{array}{r} 1\ 2 \\ \times\ \ \ 3 \\ \hline 6 \end{array} \quad ➡ \quad \begin{array}{r} 1\ 2 \\ \times\ \ \ 3 \\ \hline 3\ 6 \end{array}$$

일의 자리에서 올림이 있으면
올림하는 수를 십의 자리에
작게 쓰고 계산해.

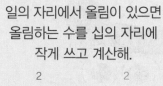

$$\begin{array}{r} {\scriptstyle 2} \\ 1\ 7 \\ \times\ \ \ 3 \\ \hline 1 \end{array} \quad ➡ \quad \begin{array}{r} {\scriptstyle 2} \\ 1\ 7 \\ \times\ \ \ 3 \\ \hline 5\ 1 \end{array}$$

1-1 보기 와 같이 계산해 보세요.

보기

$$\begin{array}{r} {\scriptstyle 2} \\ 1\ 6 \\ \times\ \ \ 4 \\ \hline 6\ 4 \end{array}$$

$$\begin{array}{r} 2\ 9 \\ \times\ \ \ 2 \\ \hline \end{array}$$

1-2 보기 와 같이 계산해 보세요.

보기

$$\begin{array}{r} {\scriptstyle 2} \\ 4\ 3 \\ \times\ \ \ 7 \\ \hline 3\ 0\ 1 \end{array}$$

$$\begin{array}{r} 5\ 6 \\ \times\ \ \ 4 \\ \hline \end{array}$$

2-1 빈칸에 알맞은 수를 써넣으세요.

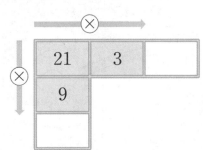

2-2 빈칸에 알맞은 수를 써넣으세요.

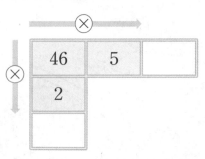

3-1 나눗셈

$12 \div 6 = 2$

$12 \div 6 = 2$와 같은 식을
나눗셈식이라 하고,
12 나누기 6은 2와 같습니다
라고 읽어.

12에서 6씩 2번 빼면 0이 돼.
$12 - 6 - 6 = 0$
➡ $12 \div 6 = 2$

3-1 뺄셈식을 나눗셈식으로 나타내어 보세요.

$$8 - 4 - 4 = 0$$

➡ _____

3-2 뺄셈식을 나눗셈식으로 나타내어 보세요.

$$20 - 5 - 5 - 5 - 5 = 0$$

➡ _____

4-1 곱셈표를 이용하여 나눗셈의 몫을 구해 보세요.

×	5	6	7	8	9
5	25	30	35	40	45
6	30	36	42	48	54
7	35	42	49	56	63
8	40	48	56	64	72
9	45	54	63	72	81

$72 \div 9 = \boxed{}$

4-2 왼쪽 **4-1**의 곱셈표를 이용하여 나눗셈의 몫을 구해 보세요.

(1)
$$42 \div 6$$

(   )

(2)
$$63 \div 7$$

(   )

곱셈 (세 자리 수)×(한 자리 수) (1)

교과서 기초 개념

• 올림이 없는 (세 자리 수)×(한 자리 수)

예) 123×3의 계산

① **일의 자리** 계산하기

$$
\begin{array}{r}
1\ 2\ 3 \\
\times\quad 3 \\
\hline
\end{array}
$$

② **십의 자리** 계산하기

$$
\begin{array}{r}
1\ 2\ 3 \\
\times\quad 3 \\
\hline
9
\end{array}
$$

③ **백의 자리** 계산하기

$$
\begin{array}{r}
1\ 2\ 3 \\
\times\quad 3 \\
\hline
6\ 9
\end{array}
$$

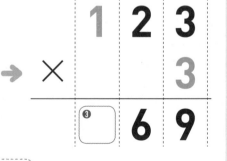

123×3에서 3과 3을 곱하여 일의 자리에,
2와 3을 곱하여 십의 자리에,
1과 3을 곱하여 백의 자리에 써.

$$
\begin{array}{r}
1\ 2\ 3 \\
\times\quad 3 \\
\hline
3\ 6\ 9
\end{array}
$$

정답 ❶ 9   ❷ 6   ❸ 3

1-1 수 모형을 보고 □ 안에 알맞은 수를 써넣으세요.

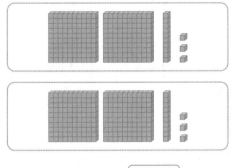

$$213 \times 2 = \boxed{}$$

1-2 수 모형을 보고 □ 안에 알맞은 수를 써넣으세요.

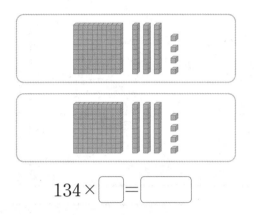

$$134 \times \boxed{} = \boxed{}$$

2-1 계산해 보세요.

(1)
```
    2 1 4
  ×     2
```

(2)
```
    3 1 2
  ×     3
```

2-2 계산해 보세요.

(1)
```
    1 1 3
  ×     3
```

(2)
```
    4 0 2
  ×     2
```

3-1 계산해 보세요.

(1) 130×3

(2) 301×2

3-2 계산해 보세요.

$$234 \times 2$$

(　　　　　　)

4-1 계산 결과를 찾아 색칠해 보세요.

121×4

242	484	424

4-2 계산 결과를 찾아 색칠해 보세요.

413×2

628	426	826

 교과서 기초 개념

• 일의 자리에서 올림이 있는 (세 자리 수) × (한 자리 수)

예 215 × 3의 계산

 215의 각 자리 수에 3을 곱한 후 모두 더해.

일의 자리 5에 3을 곱하면 15이므로 10을 십의 자리로 올림하여 계산해.

$$
\begin{array}{ccc}
 & 2 & 1 & 5 \\
\times & & & 3 \\
\hline
 & & 1 & 5 & \cdots & 5 \times 3 \\
 & & 3 & 0 & \cdots & 10 \times 3 \\
 & 6 & 0 & 0 & \cdots & 200 \times 3 \\
\hline
 & ❶ & 4 & 5 \\
\end{array}
$$

$$
\begin{array}{ccc}
 & & & 1 \\
 & 2 & 1 & 5 \\
\times & & & 3 \\
\hline
 & 6 & 4 & ❷ \\
\end{array}
$$

정답 ❶ 6   ❷ 5

1-1 수 모형을 보고 ☐ 안에 알맞은 수를 써넣으세요.

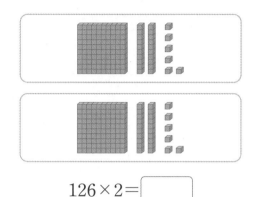

$$126 \times 2 = \boxed{}$$

1-2 수 모형을 보고 ☐ 안에 알맞은 수를 써넣으세요.

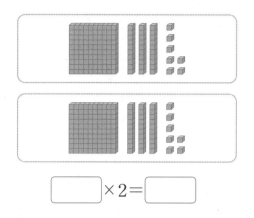

$$\boxed{} \times 2 = \boxed{}$$

2-1 ☐ 안에 알맞은 수를 써넣으세요.

$$
\begin{array}{r}
2\ 2\ 9 \\
\times \quad\quad 3 \\
\hline
2\ 7 \quad \cdots\quad 9 \times \boxed{} \\
\boxed{} \quad \cdots\quad 20 \times 3 \\
6\ 0\ 0 \quad \cdots\quad \boxed{} \times 3 \\
\hline
\boxed{}
\end{array}
$$

2-2 ☐ 안에 알맞은 수를 써넣으세요.

$$
\begin{array}{r}
4\ 1\ 7 \\
\times \quad\quad 2 \\
\hline
1\ 4 \quad \cdots\quad 7 \times 2 \\
2\ 0 \quad \cdots\quad \boxed{} \times 2 \\
\boxed{} \quad \cdots\quad 400 \times 2 \\
\hline
\boxed{}
\end{array}
$$

3-1 계산해 보세요.

$$326 \times 3$$

올림에 주의해서 계산해.

3-2 계산해 보세요.

$$249 \times 2$$

4-1 보기 와 같이 계산해 보세요.

보기

$$
\begin{array}{r}
\overset{1}{1}\ 4\ 8 \\
\times \quad\quad 2 \\
\hline
2\ 9\ 6
\end{array}
$$

$$
\begin{array}{r}
4\ 2\ 7 \\
\times \quad\quad 2 \\
\hline
\end{array}
$$

4-2 왼쪽 **4-1**의 보기 와 같이 계산해 보세요.

(1)
$$
\begin{array}{r}
2\ 0\ 8 \\
\times \quad\quad 4 \\
\hline
\end{array}
$$

(2)
$$
\begin{array}{r}
1\ 1\ 7 \\
\times \quad\quad 5 \\
\hline
\end{array}
$$

기초 집중 연습

1-1 두 수의 곱을 구해 보세요.

323, 3

(   )

1-2 빈칸에 두 수의 곱을 써넣으세요.

419	2

2-1 잘못 계산한 곳을 찾아 바르게 계산해 보세요.

$$
\begin{array}{r}
3\ 0\ 4 \\
\times \quad\quad 3 \\
\hline
9\ 0\ 2
\end{array}
$$
➡
$$
\begin{array}{r}
3\ 0\ 4 \\
\times \quad\quad 3 \\
\hline
\end{array}
$$

2-2 잘못 계산한 곳을 찾아 바르게 계산해 보세요.

$$
\begin{array}{r}
2\ 3\ 5 \\
\times \quad\quad 2 \\
\hline
4\ 6\ 0
\end{array}
$$
➡
$$
\begin{array}{r}
2\ 3\ 5 \\
\times \quad\quad 2 \\
\hline
\end{array}
$$

3-1 설명하는 수를 구해 보세요.

112의 4배인 수

(   )

3-2 정우가 설명하는 수를 구해 보세요.

337의 2배인 수

정우

(   )

4-1 더 큰 수를 찾아 기호를 써 보세요.

㉠ 421×2   ㉡ 840

(   )

4-2 크기를 비교하여 ○ 안에 >, =, <를 알맞게 써넣으세요.

941 ○ 313×3

연산 ➜ 문장제 연습 ■개씩 ●묶음은 ■×●로 계산하자.

연산 계산해 보세요.

$$120 \times 3$$

답 _____

 이 곱셈식이
어떤 상황에서 이용될까요?

5-1 방울토마토가 한 상자에 120개씩 들어 있습니다. 3상자에 들어 있는 방울토마토는 모두 몇 개인가요?

식 ⬜ × ⬜ = ⬜

답 _____

5-2 색종이가 한 묶음에 116장씩 있습니다. 색종이 5묶음은 모두 몇 장인가요?

식 _____

답 _____

1주
1일

5-3 4상자에 들어 있는 땅콩은 모두 몇 개인가요?

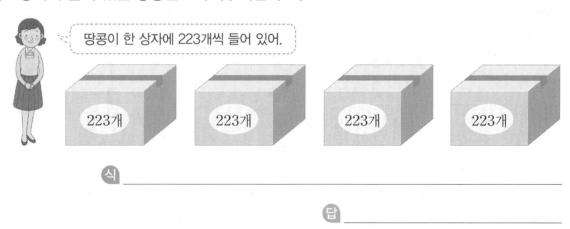

땅콩이 한 상자에 223개씩 들어 있어.

223개   223개   223개   223개

식 _____

답 _____

 교과서 기초 개념

• 십의 자리에서 올림이 있는 (세 자리 수)×(한 자리 수)

예 173×2의 계산

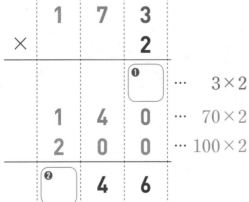

173의 각 자리 수에 2를 곱한 후 모두 더해.

$$
\begin{array}{r}
1\ 7\ 3 \\
\times\quad\ \ 2 \\
\hline
\boxed{❶} \quad\cdots\ 3\times2 \\
1\ 4\ 0 \quad\cdots\ 70\times2 \\
2\ 0\ 0 \quad\cdots\ 100\times2 \\
\hline
\boxed{❷}\ 4\ 6
\end{array}
$$

 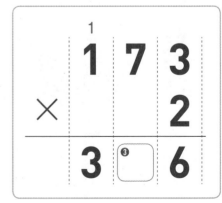

십의 자리 70에 2를 곱하면 140이므로 100을 백의 자리로 올림하여 계산해.

$$
\begin{array}{r}
1 \\
\mathbf{1\ 7\ 3} \\
\times\quad\ \ \mathbf{2} \\
\hline
\mathbf{3}\ \boxed{❸}\ \mathbf{6}
\end{array}
$$

정답 ❶ 6 ❷ 3 ❸ 4

[1-1 ~ 1-2] 색칠한 부분은 실제 어떤 수의 곱인지를 찾아 ○표 하세요.

1-1

$$
\begin{array}{r}
3\ 8\ 2 \\
\times \quad\quad 2 \\
\hline
4 \\
1\ 6\ 0 \\
6\ 0\ 0 \\
\hline
7\ 6\ 4
\end{array}
$$

2×2
8×2
80×2
30×2

1-2

$$
\begin{array}{r}
2\ 5\ 1 \\
\times \quad\quad 3 \\
\hline
3 \\
1\ 5\ 0 \\
6\ 0\ 0 \\
\hline
7\ 5\ 3
\end{array}
$$

50×3
2×3
20×3
200×3

2-1 ☐ 안에 알맞은 수를 써넣으세요.

$$
\begin{array}{r}
2\ 6\ 3 \\
\times \quad\quad 3 \\
\hline
9 \quad \cdots \quad 3 \times 3 \\
\boxed{} \quad \cdots \quad 60 \times 3 \\
6\ 0\ 0 \quad \cdots \quad \boxed{} \times 3 \\
\hline
\boxed{}
\end{array}
$$

2-2 ☐ 안에 알맞은 수를 써넣으세요.

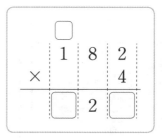

3-1 계산해 보세요.

(1) 463×2

(2) 241×3

3-2 계산해 보세요.

352×2

(　　　　　　　　)

4-1 빈 곳에 알맞은 수를 써넣으세요.

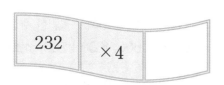

4-2 빈칸에 알맞은 수를 써넣으세요.

1주
2일

 교과서 기초 개념

- 백의 자리에서 올림이 있는
  (세 자리 수) × (한 자리 수)

⑩ 823 × 3의 계산

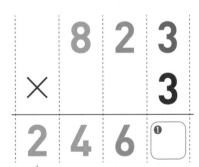

$$
\begin{array}{r}
8\ 2\ 3 \\
\times\ \ \ \ 3 \\
\hline
2\ 4\ 6\ ①
\end{array}
$$

백의 자리 800에 3을 곱하면
2400이므로 천의 자리에 2를 써.

- 십, 백의 자리에서 올림이 있는
  (세 자리 수) × (한 자리 수)

⑩ 462 × 4의 계산

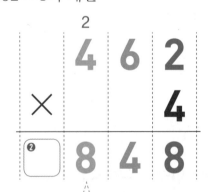

$$
\begin{array}{r}
\overset{2}{4}\ 6\ 2 \\
\times\ \ \ \ 4 \\
\hline
②\ 8\ 4\ 8
\end{array}
$$

십의 자리 계산 60×4=240에서 올림한 수 200을 더해.
400×4=1600, 1600+200=1800

정답 ❶ 9 ❷ 1

1-1 ☐ 안에 알맞은 수를 써넣으세요.

$$\begin{array}{r} 7\ 2\ 2 \\ \times \qquad 3 \\ \hline \square\ \square\ \square\ \square \end{array}$$

1-2 ☐ 안에 알맞은 수를 써넣으세요.

$$\begin{array}{r} \square \\ 5\ 7\ 1 \\ \times \qquad 5 \\ \hline \square\ \square\ \square\ 5 \end{array}$$

2-1 계산해 보세요.

(1)
$$\begin{array}{r} 5\ 1\ 4 \\ \times \qquad 2 \\ \hline \end{array}$$

(2)
$$\begin{array}{r} 4\ 8\ 3 \\ \times \qquad 3 \\ \hline \end{array}$$

2-2 계산해 보세요.

$$962 \times 4$$

3-1 계산 결과를 찾아 ○표 하세요.

$$603 \times 3$$

189	1809	1890

3-2 계산 결과를 찾아 색칠해 보세요.

$$381 \times 4$$

1224
1424
1524

4-1 두 수의 곱을 구해 보세요.

912, 4

(   )

4-2 두 사람이 말하는 수의 곱을 구해 보세요.

693   3

(   )

2일 기초 집중 연습

기본 문제 연습

1-1 바르게 계산한 것에 ○표 하세요.

```
    1 9 1
  ×     5
  5 4 5 5
```
(   )

```
    2 7 1
  ×     3
    8 1 3
```
(   )

1-2 바르게 계산한 것에 ○표 하세요.

```
    6 1 2
  ×     4
  2 4 4 8
```
(   )

```
    3 9 2
  ×     4
  1 2 6 8
```
(   )

2-1 그림을 보고 ☐ 안에 알맞은 수를 써넣으세요.

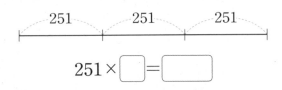

$251 \times \boxed{} = \boxed{}$

2-2 그림을 보고 ☐ 안에 알맞은 수를 써넣으세요.

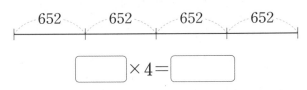

$\boxed{} \times 4 = \boxed{}$

[**3-1 ~ 3-2**] 덧셈식을 곱셈식으로 나타내고 계산해 보세요.

3-1 $152 + 152 + 152 + 152$

$\boxed{} \times \boxed{} = \boxed{}$

3-2 $423 + 423 + 423$

$\boxed{} \times \boxed{} = \boxed{}$

4-1 ☐ 안에 알맞은 수를 써넣으세요.

```
    2 ☐ 2
  ×     3
    8 1 6
```

4-2 ☐ 안에 알맞은 수를 써넣으세요.

```
    ☐ 2 1
  ×     4
  1 2 8 4
```

연산 → 문장제 연습　'같은 금액'씩 모은 돈은 곱셈으로 구하자.

 계산해 보세요.

$$750 \times 3$$

답 _____

 이 곱셈식이
어떤 상황에서 이용될까요?

5-1 지희는 하루에 750원씩 3일 동안 모았습니다. 지희가 모은 돈은 모두 얼마인가요?

식 　□ × □ = □

답 _____

5-2 규민이는 저금통에 하루에 150원씩 넣었습니다. 규민이가 5일 동안 저금통에 넣은 돈은 모두 얼마인가요?

식 _____

답 _____

5-3 민호가 친구 선물을 사려고 매일 돈을 모았습니다. 민호가 모은 돈은 모두 얼마인가요?

친구 선물을 사려고 하루에
940원씩 일주일 동안 모았어.

민호

우아~ 모두 얼마를 모은 거야?

태연

식 _____

답 _____

교과서 기초 개념

• **(몇십)×(몇십)** – 예 30×20의 계산

방법 1
$$30 \times 20$$
$$= 30 \times 2 \times 10$$
$$= 60 \times 10$$
$$= 600$$

방법 2
$$30 \times 20$$
$$= 3 \times 2 \times 10 \times 10$$
$$= 6 \times 100$$
$$= \boxed{\text{①}}\ 00$$

```
    3 0
×   2 0
─────────
  6 0 0
```

• **(몇십몇)×(몇십)** – 예 12×30의 계산

방법 1
$$12 \times 10 = 120$$
$$12 \times 10 \times 3 = \underset{120 \times 3}{\underline{360}}$$
➡ $12 \times 30 = 360$

방법 2
$$12 \times 3 = 36$$
$$12 \times 3 \times 10 = 36\boxed{\text{②}}$$
➡ $12 \times 30 = 360$

정답 ❶ 6   ❷ 0

1-1 ☐ 안에 알맞은 수를 써넣으세요.

$$20 \times 40 = 2 \times 4 \times 10 \times 10$$
$$= \boxed{} \times 100$$
$$= \boxed{}$$

1-2 다음을 계산하려고 합니다. ☐ 안에 알맞은 수를 써넣으세요.

$$13 \times 20$$

$$13 \times 2 = 26 \rightarrow 13 \times 20 = \boxed{}$$

2-1 ☐ 안에 알맞은 수를 써넣으세요.

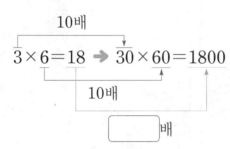

$$3 \times 6 = 18 \rightarrow 30 \times 60 = 1800$$

10배

10배

$$\boxed{} 배$$

2-2 ☐ 안에 알맞은 수를 써넣으세요.

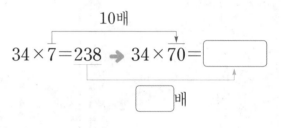

$$34 \times 7 = 238 \rightarrow 34 \times 70 = \boxed{}$$

$$\boxed{} 배$$

1주
3일

3-1 계산해 보세요.

(1)
$$\begin{array}{r} 3\ 0 \\ \times\ 3\ 0 \\ \hline \end{array}$$

(2)
$$\begin{array}{r} 2\ 0 \\ \times\ 3\ 0 \\ \hline \end{array}$$

3-2 계산해 보세요.

(1) 24×70

(2) 45×60

(몇십몇)×(몇십)은
(몇십몇)×(몇)의 뒤에
0을 1개 붙여.

4-1 빈칸에 알맞은 수를 써넣으세요.

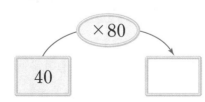

4-2 빈 곳에 알맞은 수를 써넣으세요.

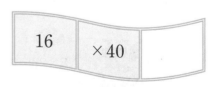

곱셈

(몇) × (몇십몇)

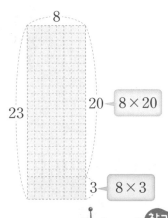
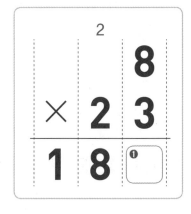

 교과서 기초 개념

• (몇) × (몇십몇)

㉠ 8 × 23의 계산

$$\begin{array}{r} 8 \\ \times\ 2\ 3 \\ \hline 2\ 4 \\ 1\ 6\ 0 \\ \hline 1\ 8\ 4 \end{array}$$

··· 8 × 3
··· 8 × 20

참고

8 × 23 = 184, 23 × 8 = [②   ] 이므로 8 × 23은 23 × 8과 같아.

정답 ❶ 4   ❷ 184

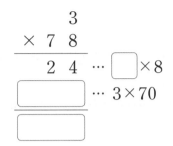

1-1 ☐ 안에 알맞은 수를 써넣으세요.

$$
\begin{array}{r}
3 \\
\times\ 7\ 8 \\
\hline
2\ 4 \quad \cdots\ \boxed{} \times 8 \\
\boxed{} \quad \cdots\ 3 \times 70 \\
\hline
\boxed{}
\end{array}
$$

1-2 ☐ 안에 알맞은 수를 써넣으세요.

$$
\begin{array}{r}
4 \\
\times\ 3\ 2 \\
\hline
\boxed{} \quad \cdots\ 4 \times 2 \\
1\ 2\ 0 \quad \cdots\ 4 \times \boxed{} \\
\hline
\boxed{}
\end{array}
$$

2-1 계산해 보세요.

(1)
$$
\begin{array}{r}
5 \\
\times\ 3\ 7 \\
\hline
\end{array}
$$

(2)
$$
\begin{array}{r}
7 \\
\times\ 4\ 9 \\
\hline
\end{array}
$$

2-2 계산해 보세요.

$$
\begin{array}{r}
9 \\
\times\ 6\ 5 \\
\hline
\end{array}
$$

3-1 계산해 보세요.

2×93

자리에 맞춰 세로로 써서 계산해 봐~

3-2 계산해 보세요.

4×83

(   )

4-1 잘못 계산한 곳을 찾아 바르게 계산해 보세요.

$$
\begin{array}{r}
3 \\
\times\ 2\ 7 \\
\hline
6 \\
2\ 1 \\
\hline
2\ 7
\end{array}
$$
→
$$
\begin{array}{r}
3 \\
\times\ 2\ 7 \\
\hline
\end{array}
$$

4-2 잘못 계산한 곳을 찾아 바르게 계산해 보세요.

$$
\begin{array}{r}
4 \\
\times\ 6\ 2 \\
\hline
2\ 4 \\
8\ 0 \\
\hline
1\ 0\ 4
\end{array}
$$
→
$$
\begin{array}{r}
4 \\
\times\ 6\ 2 \\
\hline
\end{array}
$$

1주 3일

기초 집중 연습

기본 문제 연습

1-1 바르게 계산한 것에 ○표 하세요.

$6 \times 18 = 108$ $26 \times 40 = 104$

(   )   (   )

1-2 바르게 계산한 것을 찾아 기호를 써 보세요.

㉠ $40 \times 50 = 200$ ㉡ $52 \times 30 = 1560$

(   )

2-1 주어진 곱셈식과 계산 결과가 같은 것을 찾아 기호를 써 보세요.

32×20

㉠ 16×30 ㉡ 20×32

(   )

2-2 계산 결과가 같은 것끼리 이어 보세요.

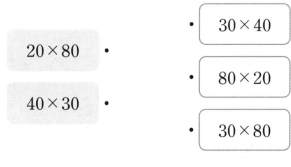

20×80 •

40×30 •

• 30×40

• 80×20

• 30×80

3-1 계산 결과가 3000보다 큰 곱셈식을 모두 찾아 색칠해 보세요.

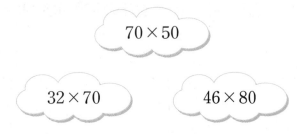

70×50

32×70 46×80

3-2 계산 결과가 300보다 작은 곱셈식을 모두 찾아 기호를 써 보세요.

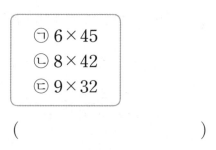

㉠ 6×45
㉡ 8×42
㉢ 9×32

(   )

연산 → 문장제 연습 '몇 배'인지 구할 때에는 곱셈으로 구하자.

연산 계산해 보세요.

$$30 \times 50$$

답 _____

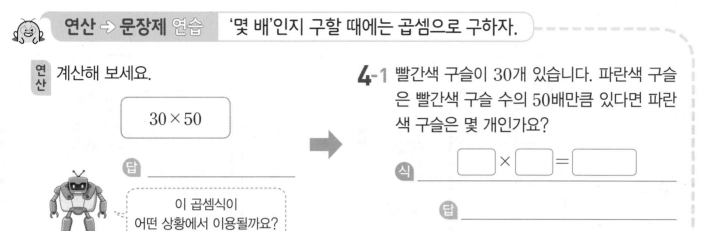

이 곱셈식이
어떤 상황에서 이용될까요?

4-1 빨간색 구슬이 30개 있습니다. 파란색 구슬은 빨간색 구슬 수의 50배만큼 있다면 파란색 구슬은 몇 개인가요?

식 □ × □ = □

답 _____

4-2 아몬드가 35개 있습니다. 잣은 아몬드 수의 60배만큼 있다면 잣은 몇 개인가요?

식 _____

답 _____

1주
3일

4-3 미술 시간에 우석이가 사용한 철사의 길이는 몇 m인가요?

민하
난 미술 시간에 철사를 9 m 사용했어.

그래? 나는 너가 사용한 철사의 16배만큼 사용했어.
우석

식 _____

답 _____

곱셈

(몇십몇) × (몇십몇) (1)

교과서 기초 개념

• 올림이 한 번 있는 (몇십몇) × (몇십몇)

⑩ 16 × 12의 계산

16과 일의 자리 수를 먼저 곱하고

$$
\begin{array}{r} 1\ 6 \\ \times\ 1\ 2 \\ \hline \end{array}
\rightarrow
\begin{array}{r} 1 \\ 1\ 6 \\ \times\ 1\ 2 \\ \hline 2 \end{array}
\rightarrow
\begin{array}{r} 1 \\ 1\ 6 \\ \times\ 1\ 2 \\ \hline 3\ 2 \end{array}
$$

16과 ❶ [   ]의 자리 수를 곱한 값을 더해.

$$
\begin{array}{r} 1\ 6 \\ \times\ 1\ 2 \\ \hline 3\ 2 \\ 6\ 0 \end{array}
\rightarrow
\begin{array}{r} 1\ 6 \\ \times\ 1\ 2 \\ \hline 3\ 2 \\ 1\ 6\ 0 \end{array}
\rightarrow
\begin{array}{r} 1\ 6 \\ \times\ 1\ 2 \\ \hline 3\ 2 \\ 1\ 6\ 0 \\ \hline 1\ 9\ 2 \end{array}
$$

정답 ❶ 십

1-1 □ 안에 알맞은 수를 써넣으세요.

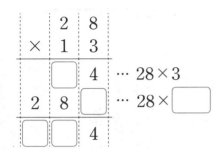

$$\begin{array}{r} 2\ 8 \\ \times\quad 1\ 3 \\ \hline \boxed{\ }\ 4 \quad\cdots 28\times3 \\ 2\ 8\ \boxed{\ } \quad\cdots 28\times\boxed{\ } \\ \hline \boxed{\ }\ \boxed{\ }\ 4 \end{array}$$

1-2 □ 안에 알맞은 수를 써넣으세요.

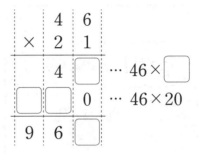

$$\begin{array}{r} 4\ 6 \\ \times\quad 2\ 1 \\ \hline 4\ \boxed{\ } \quad\cdots 46\times\boxed{\ } \\ \boxed{\ }\ \boxed{\ }\ 0 \quad\cdots 46\times20 \\ \hline 9\ 6\ \boxed{\ } \end{array}$$

2-1 계산해 보세요.

$$(1)\quad \begin{array}{r} 2\ 4 \\ \times\ 3\ 2 \\ \hline \end{array} \qquad (2)\quad \begin{array}{r} 1\ 6 \\ \times\ 1\ 4 \\ \hline \end{array}$$

2-2 계산해 보세요.

$$52\times14$$

3-1 □ 안에 알맞은 수를 써넣으세요.

$$61\times15=61\times\boxed{\ }+61\times5$$
$$=\boxed{\ }+305$$
$$=\boxed{\ }$$

3-2 ㉠과 ㉡에 알맞은 수를 각각 써 보세요.

$$73\times21=㉠\times20+73\times㉡$$
$$=1460+73=1533$$

㉠ (　　　　　　), ㉡ (　　　　　　)

4-1 두 수의 곱을 구해 보세요.

| 53, 13 |

(　　　　　　)

4-2 두 수의 곱을 구해 보세요.

| 49 | 12 |

(　　　　　　)

4일 곱셈 (몇십몇) × (몇십몇) (2)

교과서 기초 개념

• 올림이 여러 번 있는 (몇십몇) × (몇십몇)

예 42 × 39의 계산

$$
\begin{array}{r}
\overset{1}{}42 \\
\times\ 39 \\
\hline
378 \\
\end{array}
$$
➡
$$
\begin{array}{r}
42 \\
\times\ 39 \\
\hline
378 \\
1260 \\
\end{array}
$$
➡
$$
\begin{array}{r}
42 \\
\times\ 39 \\
\hline
378 \quad \cdots 42 \times 9\\
1260 \quad \cdots 42 \times \boxed{❶}\\
\hline
1638 \\
\end{array}
$$

42와 일의 자리 수를 먼저 곱하고

42와 ❷ 의 자리 수를 곱한 값을 더해.

1-1 ☐ 안에 알맞은 수를 써넣으세요.

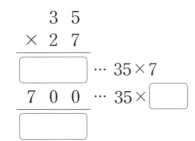

$$
\begin{array}{r}
3\ 5 \\
\times\ 2\ 7 \\
\hline
\boxed{} \quad \cdots\ 35 \times 7 \\
7\ 0\ 0 \quad \cdots\ 35 \times \boxed{} \\
\hline
\boxed{}
\end{array}
$$

1-2 ☐ 안에 알맞은 수를 써넣으세요.

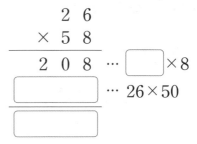

$$
\begin{array}{r}
2\ 6 \\
\times\ 5\ 8 \\
\hline
2\ 0\ 8 \quad \cdots\ \boxed{} \times 8 \\
\boxed{} \quad \cdots\ 26 \times 50 \\
\hline
\boxed{}
\end{array}
$$

2-1 보기 와 같이 계산해 보세요.

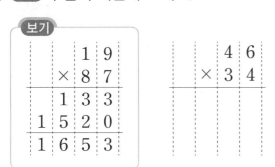

보기

$$
\begin{array}{r}
1\ 9\ 7 \\
\times\ 8\ 7 \\
\hline
1\ 3\ 3\ 0 \\
1\ 5\ 2\ 0 \\
\hline
1\ 6\ 5\ 3
\end{array}
\qquad
\begin{array}{r}
4\ 6 \\
\times\ 3\ 4 \\
\hline
\end{array}
$$

2-2 보기 와 같이 계산해 보세요.

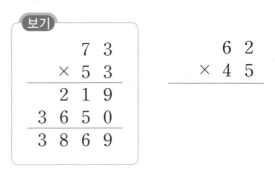

보기

$$
\begin{array}{r}
7\ 3 \\
\times\ 5\ 3 \\
\hline
2\ 1\ 9 \\
3\ 6\ 5\ 0 \\
\hline
3\ 8\ 6\ 9
\end{array}
\qquad
\begin{array}{r}
6\ 2 \\
\times\ 4\ 5 \\
\hline
\end{array}
$$

3-1 계산해 보세요.

$$27 \times 53$$

올림에 주의해서 계산해 봐~

3-2 계산해 보세요.

$$63 \times 76$$

(   )

4-1 빈칸에 알맞은 수를 써넣으세요.

64 → ×38 → ☐

4-2 빈칸에 알맞은 수를 써넣으세요.

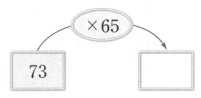

×65

73 → ☐

기본 문제 연습

1-1 계산해 보세요.

$$45 \times 12$$

( )

1-2 계산해 보세요.

$$44 \times 73$$

( )

2-1 62×14와 계산 결과가 같은 것을 찾아 ○표 하세요.

62×10과 62×4의 합	
62×1과 62×40의 합	

2-2 75×26과 계산 결과가 같은 것을 찾아 ○표 하세요.

• 75×2와 75×6의 합 ············ ( )
• 75×20과 75×6의 합 ············ ( )

3-1 계산 결과가 351인 곱셈식을 찾아 기호를 써 보세요.

㉠ 17×23 ㉡ 27×13

( )

3-2 계산 결과가 2356인 곱셈식을 찾아 기호를 써 보세요.

㉠ 38×62 ㉡ 34×74

( )

4-1 계산 결과가 가장 큰 곱셈식을 말한 사람을 찾아 이름을 써 보세요.

39×21   23×25   28×19

민호   수현   정우

( )

4-2 계산 결과가 큰 것부터 차례로 기호를 써 보세요.

㉠ 16×78 ㉡ 42×31 ㉢ 36×34

( )

 연산 → 문장제 연습 총 열량은 1개당 열량과 개수를 곱하여 구하자.

연산 계산해 보세요.

$$32 \times 41$$

답 _____

이 곱셈식이
어떤 상황에서 이용될까요?

5-1 쿠키 1개의 *열량이 32킬로칼로리일 때 똑같은 쿠키 41개의 열량은 모두 몇 킬로칼로리인지 구해 보세요.

식 ☐ × ☐ = ☐

답 _____ 킬로칼로리

*열량: 식품을 먹었을 때 몸에서 발생하는 열의 양

1주
4일

5-2 송편 1개의 열량이 다음과 같을 때 송편 23개의 열량은 모두 몇 킬로칼로리인지 구해 보세요.

	열량(킬로칼로리)
송편 1개	42

식 _____

답 _____ 킬로칼로리

5-3 막대 사탕 1개의 열량이 다음과 같을 때 태연이가 선물로 받은 막대 사탕의 열량은 모두 몇 킬로칼로리인지 구해 보세요.

	열량(킬로칼로리)
막대 사탕 1개	48

난 선물로 막대 사탕을
34개 받았어.

태연

식 _____

답 _____ 킬로칼로리

교과서 기초 개념

- **내림이 없는 (몇십)÷(몇)**

예 $60 \div 3$의 계산

60

↓ ÷3

20

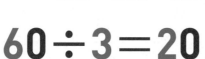

$$60 \div 3 = 20$$

십 모형 6개를 똑같이 3묶음으로 나누면

십 모형 개씩 나누어져.

참고

- **나눗셈식을 세로로 쓰는 방법**

나누는 수

$$60 \div 3 = 20 \quad \Rightarrow \quad 3\overline{)60}$$

몫 ← 몫

나누어지는 수

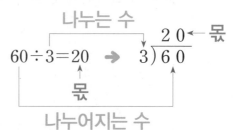

정답 ❶ 2

1-1 수 모형을 보고 ☐ 안에 알맞은 수를 써넣으세요.

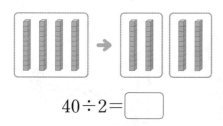

$$40 \div 2 = \boxed{}$$

1-2 수 모형을 보고 ☐ 안에 알맞은 수를 써넣으세요.

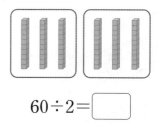

$$60 \div 2 = \boxed{}$$

2-1 ☐ 안에 알맞은 수를 써넣으세요.

$$9 \div 3 = \boxed{}$$

↓

$$90 \div 3 = \boxed{}$$

2-2 ☐ 안에 알맞은 수를 써넣으세요.

$$5 \div 5 = \boxed{} \ \Rightarrow \ 50 \div 5 = \boxed{}$$

3-1 계산해 보세요.

$$80 \div 4$$

3-2 계산해 보세요.

$$70 \div 7$$

4-1 보기 와 같이 나타내어 보세요.

보기

$$40 \div 4 = 10 \ \Rightarrow \ 4 \overline{\smash{)}40}^{\,10}$$

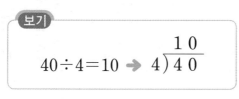

$$60 \div 6 = 10 \ \Rightarrow$$

4-2 보기 와 같이 나타내어 보세요.

보기

$$90 \div 3 = 30 \ \Rightarrow \ 3 \overline{\smash{)}90}^{\,30}$$

$$80 \div 2 = 40 \ \Rightarrow$$

1주 5일

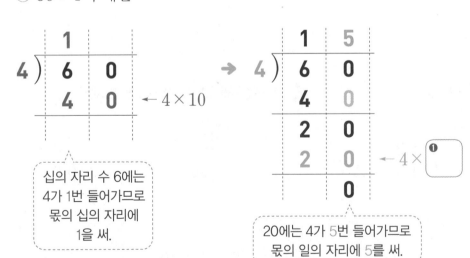

교과서 기초 개념

• 내림이 있는 (몇십)÷(몇)

예) 60÷4의 계산

$$4)\overline{60} \quad \begin{array}{r} 1 \\ \hline 6\;0 \\ 4\;0 \end{array} \leftarrow 4 \times 10$$

십의 자리 수 6에는
4가 1번 들어가므로
몫의 십의 자리에
1을 써.

→

$$4)\overline{60} \quad \begin{array}{r} 1\;5 \\ \hline 6\;0 \\ 4\;0 \\ \hline 2\;0 \\ 2\;0 \\ \hline 0 \end{array} \leftarrow 4 \times \boxed{❶}$$

20에는 4가 5번 들어가므로
몫의 일의 자리에 5를 써.

$$4)\overline{60} \quad \begin{array}{r} 1\;5 \\ \hline 6\;0 \\ 4 \\ \hline 2\;0 \\ 2\;0 \\ \hline \boxed{❷} \end{array}$$

→ 60÷4=15

정답 ❶ 5   ❷ 0

1-1 수 모형을 보고 ☐ 안에 알맞은 수를 써넣으세요.

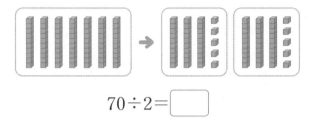

$$70 \div 2 = \boxed{}$$

1-2 그림을 보고 ☐ 안에 알맞은 수를 써넣으세요.

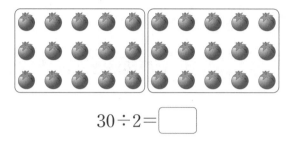

$$30 \div 2 = \boxed{}$$

2-1 ☐ 안에 알맞은 수를 써넣으세요.

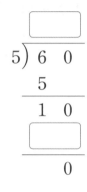

2-2 계산해 보세요.

3-1 계산해 보세요.

(1) $80 \div 5$

(2) $50 \div 2$

3-2 계산해 보세요.

$$90 \div 5$$

(   )

4-1 빈칸에 알맞은 수를 써넣으세요.

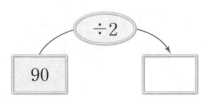

4-2 빈 곳에 알맞은 수를 써넣으세요.

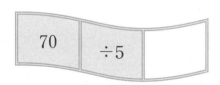

기본 문제 연습

1-1 계산해 보세요.

$$20 \div 2$$

(   )

1-2 계산해 보세요.

$$30 \div 2$$

(   )

2-1 큰 수를 작은 수로 나눈 몫을 구해 보세요.

60, 3

(   )

2-2 큰 수를 작은 수로 나눈 몫을 구해 보세요.

5, 90

(   )

3-1 몫이 20인 나눗셈식을 찾아 ○표 하세요.

$30 \div 3$	$80 \div 4$

3-2 몫이 15인 나눗셈식을 찾아 색칠해 보세요.

$90 \div 6$		$70 \div 2$

4-1 나눗셈의 몫이 다른 하나를 찾아 기호를 써 보세요.

㉠ $50 \div 5$ ㉡ $50 \div 2$ ㉢ $90 \div 9$

(   )

4-2 나눗셈의 몫이 다른 하나를 말한 사람은 누구인지 이름을 써 보세요.

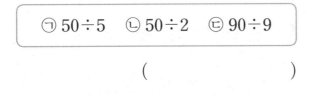

$80 \div 8$	$60 \div 4$	$30 \div 2$
영탁	준희	태연

(   )

연산 → 문장제 연습　한 줄에 같은 개수씩 놓을 때에는 나눗셈으로 구하자.

연산　계산해 보세요.

$$60 \div 2$$

(　　　　　　　　　　)

이 나눗셈식이
어떤 상황에서 이용될까요?

5-1 송편 60개를 한 줄에 2개씩 놓으면 몇 줄이
되는지 구해 보세요.

식　　☐ ÷ ☐ = ☐

답　

5-2 곶감 80개를 한 줄에 5개씩 꽂으면 몇 줄이 되는지 구해 보세요.

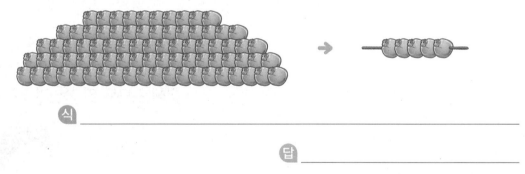

식　

답　

5-3 운동장에 학생이 90명 있습니다. 한 줄에 5명씩 서면 몇 줄이 되는지 구해 보세요.

식　

답　

1주
5일

누구나 100점 맞는 테스트

1 수 모형을 보고 □ 안에 알맞은 수를 써넣으세요.

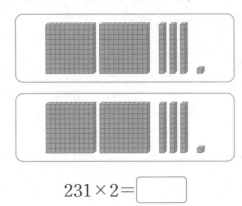

$$231 \times 2 = \boxed{}$$

2 색칠한 부분은 실제 어떤 수의 곱인지를 찾아 기호를 써 보세요.

$$
\begin{array}{r}
2\ 7\ 4 \\
\times \quad\quad 2 \\
\hline
8 \\
1\ 4\ 0 \\
4\ 0\ 0 \\
\hline
5\ 4\ 8
\end{array}
$$

┌──────────────────────────────┐
⊙ 7×2　　ⓛ 70×2　　ⓒ 700×2
└──────────────────────────────┘

(　　　　　　　　)

3 계산해 보세요.

36×12

(　　　　　　　　)

4 빈칸에 알맞은 수를 써넣으세요.

304

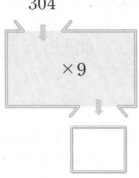

×9

5 성준이는 동화책을 하루에 28쪽씩 매일 읽으려고 합니다. 14일 동안 읽을 수 있는 동화책은 모두 몇 쪽인가요?

식 _____

답 _____

▶ 정답 및 풀이 6쪽

6 그림을 보고 □ 안에 알맞은 수를 써넣으세요.

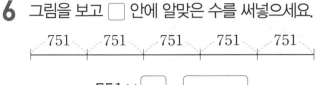

751   751   751   751   751

$751 \times \boxed{} = \boxed{}$

7 바르게 계산한 것을 찾아 기호를 써 보세요.

ⓐ $90 \div 3 = 3$ ⓑ $50 \div 2 = 25$

(   )

8 계산 결과를 찾아 이어 보세요.

60×70 •

85×50 •

• 4270

• 4250

• 4200

9 더 큰 수를 말한 사람을 찾아 이름을 써 보세요.

4×78 305

준희   우석

(   )

10 달걀 30개를 바구니 2개에 똑같이 나누어 담으려고 합니다. 바구니 한 개에 달걀을 몇 개씩 담아야 할까요?

식 _____

답 _____

1주

평가

초콜릿을 먹은 범인은?

 어머니께서 초콜릿을 사 오셨습니다.

 고양이의 말을 해독하여 초콜릿을 먹은 사람의 등 번호를 찾아봐.

표를 보고 '냐, 앙, 야, 오'에 해당하는 숫자나 기호를 빈칸에 써넣고 계산해.

〈고양이의 말을 해독하는 표〉

야	냐	오	옹	앙	쿵
1	3	4	6	×	+

→

냐	앙	야	오	등 번호
				=

답 초콜릿을 먹은 사람의 등 번호: 번

방학 숙제는 식물 관찰 일지~

 천재 초등학교의 겨울 방학 날입니다.

세 사람이 각각 키우는 식물은 무엇일까?

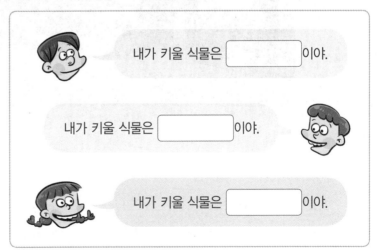

내가 키울 식물은 □□□이야.

내가 키울 식물은 □□□이야.

내가 키울 식물은 □□□이야.

코딩 **3** (시작)에 90을 넣었을 때 나오는 수를 구해 보세요.

시작

(시작)에 90을 넣고 화살표를 따라가며 명령대로 계산해 봐.

답 _____

융합 **4** 템플스테이는 절에서 생활하며 불교의 전통문화를 체험하는 일입니다. 템플스테이를 체험 중인 정우는 오늘 아침과 저녁에 각각 108번씩 절을 했습니다. 정우가 오늘 한 절은 모두 몇 번인가요?

오늘 절을 아침과 저녁에 각각 108번씩 했어.

정우

답 _____

창의 5 보기의 설명에 알맞은 사람을 각각 찾아 두 사람이 말한 수의 곱을 구해 보세요.

보기

[사람 1] 고깔모자를 쓴 사람　　　　[사람 2] 안경을 쓴 사람

답 _____

코딩 6 보기와 같이 버튼을 누르면 왼쪽 수를 2로 나눈 몫이 나옵니다. ☐ 안에 알맞은 수를 써넣으세요.

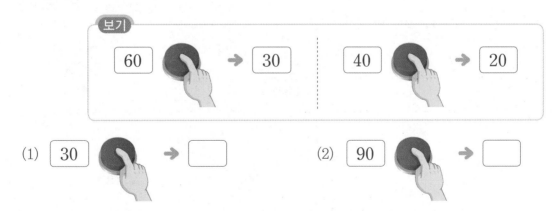

보기

60 　→ 30　　40 　→ 20

(1) 30 　→ ☐　　(2) 90 　→ ☐

창의 **7** 곱셈을 하여 받을 수 있는 아이템은 무엇인지 구해 보세요.

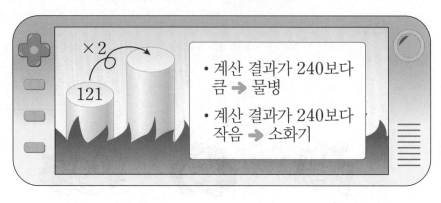

답 _____

창의 **8** 보기 와 같이 두 수와 두 수를 곱해서 나온 계산 결과를 선으로 이어 원 안에 삼각형을 그려 보세요.

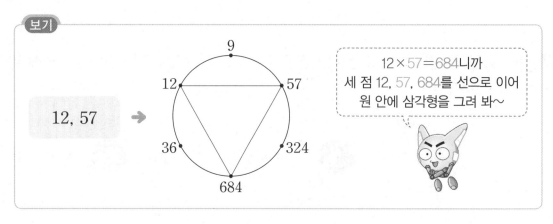

91, 13 →

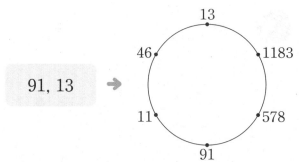

코딩 9 화살표의 규칙에 따라 계산하여 빈칸에 알맞은 수를 써넣으세요.

규칙

↓: ×20	→: ÷2
↑: ×40	←: ÷4

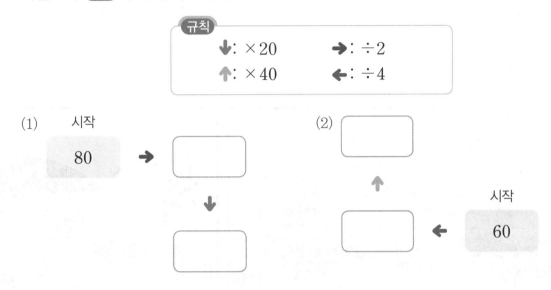

(1) 시작

80 → [ ]
      ↓
      [ ]

(2) [ ]
     ↑
    [ ] ← 60 시작

1주
특강

창의 10 민하는 '가로 세로 퍼즐'을 하고 있습니다. 빈칸에 알맞은 수를 써넣으세요.

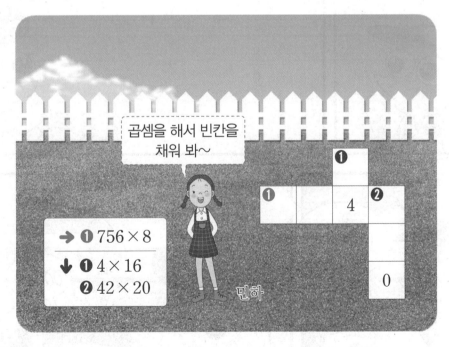

곱셈을 해서 빈칸을 채워 봐~

→ ❶ 756 × 8
↓ ❶ 4 × 16
　 ❷ 42 × 20

민하

2주 나눗셈 / 원

우리 돈 모아서 지렁이 젤리 사 먹을까?

좋아!

우리도 오케이!

한 봉지에 48개가 들어 있대.

48개를 4명이 똑같이 나누어 먹으려면 한 명이 몇 개씩 먹을 수 있지?

$$48 \div 4 = 12 \text{(개)}$$

48을 4로 나누면 48÷4=12니까 12개씩 먹을 수 있어.

자, 각자 12개씩~! 됐지?

어, 너 뒤에 감춘 거 뭐야?

헉! 한 봉지 더 이벤트 당첨 붙임딱지네?!

으…… 치사하게 너만 먹으려고 한 거야?

1일 (몇십몇)÷(몇) (1), (2)　　　2일 (몇십몇)÷(몇) (3), (4)
3일 (세 자리 수)÷(한 자리 수) (1), (2)
4일 (몇십몇)÷(몇), (세 자리 수)÷(한 자리 수) / 계산이 맞는지 확인하기
5일 원의 중심, 반지름, 지름 / 원의 성질

3-1 나눗셈

한 개의 곱셈식은 두 개의 나눗셈식으로 나타낼 수 있어.

그럼 곱셈식에서 곱하는 수 또는 곱해지는 수를 찾으면 나눗셈의 몫을 구할 수 있겠군.

1-1 곱셈식을 보고 나눗셈식을 만들어 보세요.

$$2 \times 7 = 14 \begin{cases} 14 \div \boxed{} = 2 \\ 14 \div \boxed{} = 7 \end{cases}$$

1-2 나눗셈식을 보고 곱셈식을 만들어 보세요.

$$20 \div 4 = 5 \begin{cases} \boxed{} \times 5 = \boxed{} \\ \boxed{} \times 4 = \boxed{} \end{cases}$$

2-1 관계있는 것끼리 이어 보세요.

나눗셈식	곱셈식
$72 \div 8 = 9$ •	• $4 \times 6 = 24$
$24 \div 6 = 4$ •	• $9 \times 8 = 72$
$21 \div 3 = 7$ •	• $3 \times 7 = 21$

2-2 관계있는 것끼리 이어 보세요.

곱셈식	나눗셈식
$2 \times 4 = 8$ •	• $30 \div 5 = 6$
$5 \times 6 = 30$ •	• $63 \div 7 = 9$
$7 \times 9 = 63$ •	• $8 \div 4 = 2$

▶ 정답 및 풀이 7쪽

2-1 여러 가지 도형

동전을 본떠 그려지는 동그란 모양의 도형을 원이라고 해.

원에는 곧은 선과 뾰족한 점이 없어.

3-1 원은 모두 몇 개인가요?

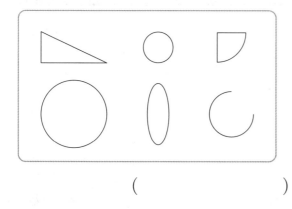

( )

3-2 원을 모두 찾아 기호를 써 보세요.

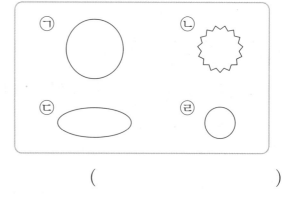

( )

4-1 원에 대한 설명입니다. 옳으면 ○표, 틀리면 ×표 하세요.

(1) 뾰족한 부분이 있습니다. ……… ( )

(2) 곧은 선이 있습니다. …………… ( )

4-2 원에 대한 설명입니다. 옳으면 ○표, 틀리면 ×표 하세요.

(1) 어느 쪽에서 보아도 똑같이 동그란 모양입니다. ……………………… ( )

(2) 크기는 다르지만 생긴 모양이 서로 같습니다. ……………………… ( )

교과서 기초 개념

• 내림이 없고 나머지가 없는 (몇십몇) ÷ (몇)

예 48 ÷ 4의 계산

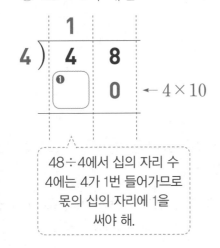
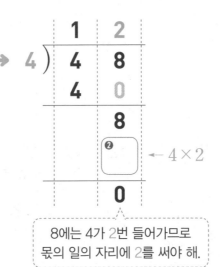
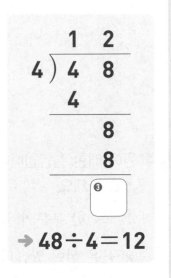

48÷4에서 십의 자리 수 4에는 4가 1번 들어가므로 몫의 십의 자리에 1을 써야 해.

8에는 4가 2번 들어가므로 몫의 일의 자리에 2를 써야 해.

→ 48 ÷ 4 = 12

1-1 ☐ 안에 알맞은 수를 써넣으세요.

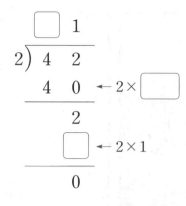

2) 4 2
4 0 ← 2 × ☐
2
☐ ← 2 × 1
0

1-2 ☐ 안에 알맞은 수를 써넣으세요.

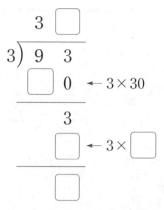

3 ☐
3) 9 3
☐ 0 ← 3 × 30
3
☐ ← 3 × ☐
☐

2-1 계산해 보세요.

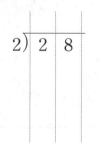

2) 2 8

세로로 계산할 때는
줄을 잘 맞춰야 해.

2-2 계산해 보세요.

(1)
3) 6 3

(2)
4) 4 4

3-1 계산해 보세요.

⑴ 39 ÷ 3

⑵ 62 ÷ 2

3-2 계산해 보세요.

84 ÷ 2

( )

4-1 빈 곳에 알맞은 수를 써넣으세요.

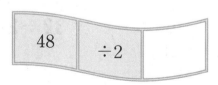

48   ÷ 2

4-2 빈칸에 알맞은 수를 써넣으세요.

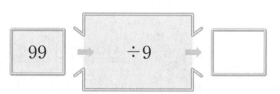

99 ➡ ÷ 9 ➡

2주
1일

나눗셈 　(몇십몇)÷(몇) (2)

교과서 기초 개념

- 내림이 있고 나머지가 없는 (몇십몇)÷(몇)

　예 $32 \div 2$의 계산

$$
\begin{array}{r}
1 \\
2\,\overline{)3\ 2} \\
2\ 0 \\
\end{array}
\leftarrow 2 \times 10
$$

➡

$$
\begin{array}{r}
1\ \boxed{①} \\
2\,\overline{)3\ 2} \\
2\ 0 \\
\hline
1\ 2 \\
\boxed{②}\ 2 \leftarrow 2 \times 6 \\
\hline
0
\end{array}
$$

$$
\begin{array}{r}
1\ 6 \\
2\,\overline{)3\ 2} \\
2 \\
\hline
1\ 2 \\
1\ 2 \\
\hline
0
\end{array}
$$

➡ $32 \div 2 = 16$

십의 자리 ➡ 일의 자리 순서로 계산해야 돼.

정답 ❶ 6　　❷ 1

1-1 ☐ 안에 알맞은 수를 써넣으세요.

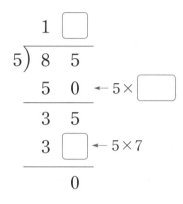

```
      1 ☐
  5 ) 8 5
      5 0  ← 5 × ☐
      3 5
      3 ☐  ← 5 × 7
      ───────
        0
```

1-2 ☐ 안에 알맞은 수를 써넣으세요.

⑴
```
      1 ☐
  4 ) 6 4
      ☐
      2 4
    ☐ 4
    ─────
      0
```

⑵
```
    ☐ 5
  3 ) 7 5
      ☐
      1 5
      1 5
    ─────
      ☐
```

2-1 계산해 보세요.

```
  2 ) 5 2
```

나눗셈을 세로로 쓰면
계산하기 편리해.

2-2 계산해 보세요.

⑴ 42÷3

⑵ 96÷8

3-1 계산해 보세요.

```
  3 ) 8 1
```

( )

3-2 계산해 보세요.

```
  92÷2
```

( )

4-1 나눗셈의 몫을 찾아 이어 보세요.

34÷2 ·

· 17

· 12

4-2 나눗셈의 몫을 찾아 이어 보세요.

65÷5 ·

· 11

· 13

기초 집중 연습

1-1 계산해 보세요.

(1)
$$2 \overline{) 2\ 6}$$

(2)
$$3 \overline{) 6\ 9}$$

1-2 계산해 보세요.

(1) $74 \div 2$

(2) $95 \div 5$

2-1 빈칸에 나눗셈의 몫을 써넣으세요.

| 66 | → | ÷3 | → | |

2-2 빈 곳에 나눗셈의 몫을 써넣으세요.

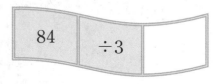

| 84 | ÷3 | |

3-1 나눗셈의 몫을 찾아 이어 보세요.

$77 \div 7$ ·

· 7

· 11

3-2 나눗셈의 몫을 찾아 이어 보세요.

$58 \div 2$ ·

· 19

· 29

[**4**-1 ~ **4**-2] 몫의 크기를 비교하여 ◯ 안에 >, =, <를 알맞게 써넣으세요.

4-1 $33 \div 3$ ◯ $72 \div 6$

4-2 $72 \div 3$ ◯ $75 \div 5$

연산 → 문장제 연습 똑같이 나누어 담을 때는 나눗셈으로 계산하자.

연산 계산해 보세요.

$$24 \div 2$$

답 _____

이 나눗셈식이 어떤 상황에서 이용될까요?

5-1 초콜릿 24개를 봉지 한 개에 2개씩 담으려고 합니다. 필요한 봉지는 몇 개인가요?

식 ⬚ ÷ ⬚ = ⬚ _____

답 _____

5-2 사과 84개를 상자 한 개에 4개씩 담으려고 합니다. 필요한 상자는 몇 개인가요?

식 _____

답 _____

5-3 키위 65개를 5상자에 똑같이 나누어 담으려고 합니다. 한 상자에 담을 수 있는 키위는 몇 개인가요?

식 _____

답 _____

 교과서 기초 개념

• 내림이 없고 나머지가 있는 (몇십몇)÷(몇)

㉎ 46÷5의 계산

(1) **46**을 **5**로 나누면 몫은 **9**이고 **1**이 남습니다. 이때 **1**을 나머지라고 합니다.

$$46 \div 5 = 9 \cdots 1 \rightarrow 5 \overline{)\, 4 \ 6}$$

나누는 수 → 9 ← 몫
← 나누어지는 수
4 ①
1 ← 나머지

(2) **나머지가 없으면** 나머지가 **0**이라고 말할 수 있습니다.
나머지가 **0**일 때, 나누어떨어진다고 합니다.

정답 ① 5

1-1 나눗셈식을 보고 □ 안에 알맞은 말을 써넣으세요.

$$34 \div 6 = 5 \cdots 4$$

34를 6으로 나누면 □은/는 5이고 4가 남습니다.

이때 4를 $34 \div 6$의 [   ](이)라고 합니다.

1-2 나눗셈식을 보고 몫과 나머지를 각각 써 보세요.

$$47 \div 8 = 5 \cdots 7$$

몫 (   )

나머지 (   )

2-1 □ 안에 알맞은 수를 써넣으세요.

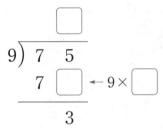

2-2 □ 안에 알맞은 수를 써넣으세요.

(1)   (2)

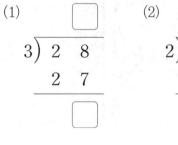

3-1 계산해 보세요.

(1) 7) 5 9   (2) 4) 3 1

3-2 계산해 보세요.

$$27 \div 2$$

4-1 나머지가 0인 나눗셈을 찾아 ○표 하세요.

| $36 \div 3$ | $17 \div 6$ |

(   )   (   )

4-2 나누어떨어지는 나눗셈을 찾아 ○표 하세요.

| $48 \div 5$ | $56 \div 4$ |

(   )   (   )

 교과서 기초 개념

• 내림이 있고 나머지가 있는 (몇십몇) ÷ (몇)

예 59 ÷ 4의 계산

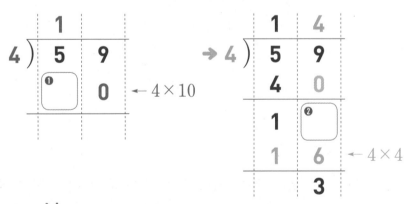

나눗셈에서 나머지는 나누는 수보다 작아야 해.
예 59 ÷ 4 = 14 ··· 3 ➡ 4 > 3

$$59 \div 4 = 14 \cdots 3$$

정답 ❶ 4   ❷ 9

1-1 ☐ 안에 알맞은 수를 써넣으세요.

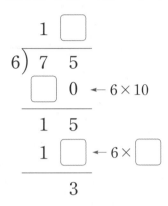

```
      1 ☐
   6 ) 7 5
     ☐ 0  ← 6 × 10
   ─────
     1 5
     1 ☐  ← 6 × ☐
   ─────
       3
```

1-2 ☐ 안에 알맞은 수를 써넣으세요.

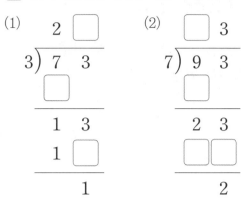

```
(1)    2 ☐        (2)   ☐ 3
   3 ) 7 3          7 ) 9 3
     ☐              ☐
   ───             ───
     1 3            2 3
     1 ☐          ☐ ☐
   ───            ─────
       1              2
```

2-1 계산해 보세요.

(1)
```
2 ) 3 5
```

(2)
```
3 ) 5 9
```

2-2 계산해 보세요.

$$59 \div 2$$

3-1 나눗셈의 몫과 나머지를 각각 구해 보세요.

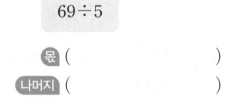

$$69 \div 5$$

몫 (   )

나머지 (   )

3-2 민하가 말한 나눗셈의 몫과 나머지를 각각 구해 보세요.

$$71 \div 4$$

민하

몫 (   )

나머지 (   )

4-1 <u>잘못</u> 계산한 곳을 찾아 바르게 계산해 보세요.

```
      1 7
   3 ) 5 6
     3
   ───
     2 6
     2 1
   ───
       5
```
➡
```
   3 ) 5 6
```

4-2 <u>잘못</u> 계산한 곳을 찾아 바르게 계산해 보세요.

```
      3 6
   2 ) 7 5
     6
   ───
     1 5
     1 2
   ───
       3
```
➡
```
   2 ) 7 5
```

2주 2일

기초 집중 연습

1-1 나눗셈을 하여 ☐ 안에 몫을, ◯ 안에 나머지를 써넣으세요.

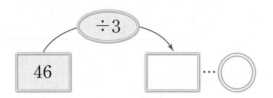

1-2 나눗셈을 하여 ☐ 안에 몫을, ◯ 안에 나머지를 써넣으세요.

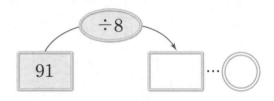

[**2-1 ~ 2-2**] 큰 수를 작은 수로 나눈 몫과 나머지를 각각 구해 보세요.

2-1

15		7

몫 (   )

나머지 (   )

2-2

5		27

몫 (   )

나머지 (   )

3-1 나머지가 4가 될 수 <u>없는</u> 식을 찾아 ×표 하세요.

☐ ÷ 5	☐ ÷ 3	☐ ÷ 7
( )	( )	( )

3-2 나머지가 5가 될 수 있는 식을 찾아 기호를 써 보세요.

㉠ ☐ ÷ 4   ㉡ ☐ ÷ 5   ㉢ ☐ ÷ 6

(   )

4-1 나머지가 더 큰 것을 찾아 기호를 써 보세요.

㉠ 8)89   ㉡ 6)69

(   )

4-2 나머지가 더 작은 것을 찾아 기호를 써 보세요.

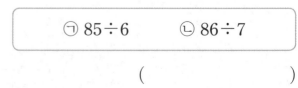

㉠ 85÷6   ㉡ 86÷7

(   )

연산 → 문장제 연습　나눗셈의 몫은 나누어 가지는 수, 나머지는 남은 수이다.

연산 나눗셈의 몫과 나머지를 각각 구해 보세요.

$$57 \div 5$$

몫 _____

나머지 _____

이 나눗셈식이
어떤 상황에서 이용될까요?

5-1 사탕이 57개 있습니다. 사탕을 5명이 똑같이 나누어 먹는다면 한 명이 몇 개씩 먹을 수 있고, 몇 개가 남을까요?

식 □ ÷ □ = □ ⋯ □
_____

답 한 명이 □ 개씩 먹을 수 있고,

□ 개가 남습니다.

5-2 동전이 39개 있습니다. 동전을 2명이 똑같이 나누어 가진다면 한 명이 몇 개씩 가질 수 있고, 몇 개가 남을까요?

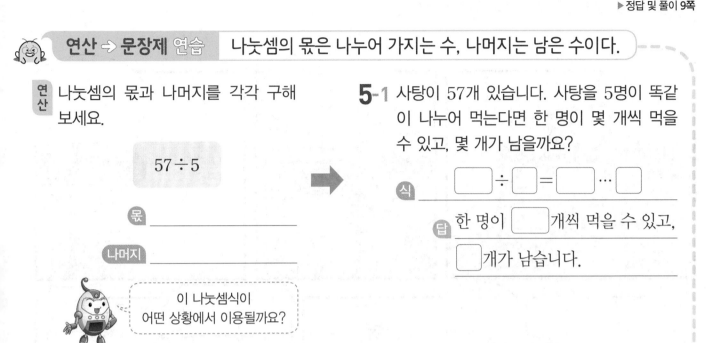

식 _____

답 한 명이 □ 개씩 가질 수 있고, □ 개가 남습니다.

5-3 야구공 53개를 한 상자에 3개씩 담으려고 합니다. 필요한 상자는 몇 상자이고, 남는 야구공은 몇 개인지 각각 구해 보세요.

식 _____

답 필요한 상자 수: _____ ,

남는 야구공 수: _____

2주
2일

교과서 기초 개념

• 나머지가 없는 (세 자리 수)÷(한 자리 수)

나누어지는 수의 백의 자리 숫자부터 살펴봐~

예 800÷4의 계산

```
      2 0 0
4 ) 8 0 0
    ❶
  ───────
          0
```

예 960÷6의 계산

```
      1 6 0
6 ) 9 6 0
    6
  ───────
    ❷  6
    3 6
  ───────
        0
```

예 175÷5의 계산

```
      3 5
5 ) 1 7 5
    1 5
  ───────
      2 5
      2 ❸
  ───────
        0
```

정답 ❶ 8 ❷ 3 ❸ 5

1-1 □ 안에 알맞은 수를 써넣으세요.

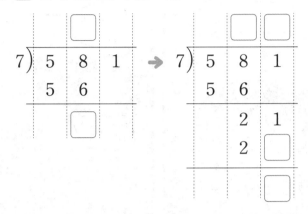

1-2 □ 안에 알맞은 수를 써넣으세요.

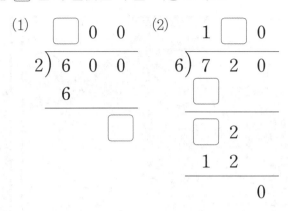

2-1 계산해 보세요.

(1) 400 ÷ 2

(2) 648 ÷ 8

2-2 계산해 보세요.

$$279 \div 3$$

(　　　　　　　　)

3-1 잘못 계산한 곳을 찾아 바르게 계산해 보세요.

```
    1 2
3) 3 6 0
    3
    6
    6
    0
```
➡
```
3) 3 6 0
```

3-2 잘못 계산한 곳을 찾아 바르게 계산해 보세요.

```
    2 0 8
3) 7 2 6
    6
    2 6
    2 4
        2
```
➡
```
3) 7 2 6
```

 교과서 기초 개념

• 나머지가 있는 (세 자리 수)÷(한 자리 수)

예 605÷3의 계산

$$
\begin{array}{r}
2\ 0\ 1 \\
3\overline{)6\ 0\ 5} \\
6 \\
\hline
5 \\
\boxed{①} \\
\hline
2
\end{array}
$$

십의 자리에서는 나눌 수 없으므로 일의 자리 5를 3으로 나누면 2가 남아.

예 125÷4의 계산

$$
\begin{array}{r}
3\ 1 \\
4\overline{)1\ 2\ 5} \\
1\ 2 \\
\hline
5 \\
4 \\
\hline
\boxed{②}
\end{array}
$$

백의 자리에서는 나눌 수 없으므로 십의 자리에서 12를 4로 나누고 일의 자리 5를 4로 나누면 1이 남아.

예 675÷7의 계산

$$
\begin{array}{r}
9\ 6 \\
7\overline{)6\ 7\ 5} \\
6\ 3 \\
\hline
4\ \boxed{③} \\
4\ 2 \\
\hline
3
\end{array}
$$

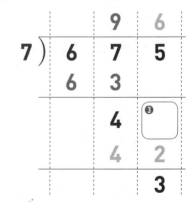

십의 자리에서 67을 7로 나누고 남은 4, 즉 40과 일의 자리에서 5를 합친 45를 7로 나누면 3이 남아.

정답 ❶ 3   ❷ 1   ❸ 5

▶정답 및 풀이 10쪽

1-1 ☐ 안에 알맞은 수를 써넣으세요.

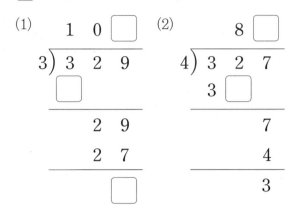

1-2 계산해 보세요.

(1) 2)385   (2) 7)753

2-1 ☐ 안에 알맞은 수를 써넣으세요.

$537 \div 2 = $ ☐ ⋯ ☐

2-2 계산해 보세요.

$235 \div 6$

3-1 나눗셈을 하여 ☐ 안에 몫을, ◯ 안에 나머지를 써넣으세요.

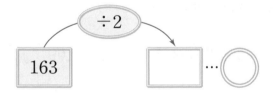

3-2 나눗셈을 하여 ☐ 안에 몫을, ◯ 안에 나머지를 써넣으세요.

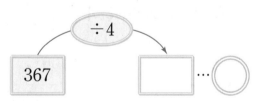

4-1 몫이 94인 나눗셈을 찾아 ◯표 하세요.

$373 \div 4$ $851 \div 9$

(   )   (   )

4-2 나머지가 4인 나눗셈을 찾아 기호를 써 보세요.

㉠ $524 \div 8$ ㉡ $724 \div 7$

(   )

기본 문제 연습

1-1 나눗셈의 몫을 구해 보세요.

$$570 \div 3$$

(   )

1-2 나눗셈의 몫과 나머지를 각각 구해 보세요.

$$297 \div 4$$

몫 (   )

나머지 (   )

[**2**-1 ~ **2**-2] 큰 수를 작은 수로 나눈 몫과 나머지를 각각 구해 보세요.

2-1

| 919 | 9 |

몫 (   )

나머지 (   )

2-2

| 365 | 4 |

몫 (   )

나머지 (   )

[**3**-1 ~ **3**-2] 크기를 비교하여 ◯ 안에 >, =, <를 알맞게 써넣으세요.

3-1

$$679 \div 7 \bigcirc 100$$

3-2

$$240 \div 2 \bigcirc 109$$

4-1 몫이 두 자리 수인 나눗셈을 말한 사람을 찾아 이름을 써 보세요.

 $380 \div 2$
$380 \div 4$
 $400 \div 2$

영탁   민하   정우

(   )

4-2 몫이 세 자리 수인 나눗셈을 찾아 기호를 써 보세요.

㉠ $519 \div 6$ ㉡ $840 \div 7$ ㉢ $261 \div 3$

(   )

연산 → 문장제 연습 똑같이 나누어 가질 때에는 나눗셈으로 계산하자.

연산 나눗셈의 몫을 구해 보세요.

$$128 \div 8$$

답 _____

이 나눗셈식이
어떤 상황에서 이용될까?

5-1 공책 128권을 8명이 똑같이 나누어 가지려고 합니다. 한 명이 가질 수 있는 공책은 몇 권인가요?

식 ☐ ÷ ☐ = ☐ _____

답 _____

5-2 두 사람의 대화를 읽고 과자를 한 명에게 몇 개씩 나누어 줄 수 있는지 구해 보세요.

과자 452개를 4명에게 똑같이 나누어 주려고 해.

그럼 한 명에게 몇 개씩 나누어 줄 수 있을까?

식 _____

답 _____

5-3 귤 587개를 한 명에게 5개씩 나누어 주려고 합니다. 귤을 가질 수 있는 사람은 몇 명이고, 남는 귤은 몇 개인지 각각 구해 보세요.

식 _____

답 가질 수 있는 사람 수: _____ ,

남는 귤 수: _____

4일 나눗셈

(몇십몇)÷(몇),
(세 자리 수)÷(한 자리 수)

 교과서 기초 개념

• 나머지가 없는 (몇십몇)÷(몇)	• 나머지가 있는 (몇십몇)÷(몇)	• 나머지가 있는 (세 자리 수)÷(한 자리 수)
예 84÷4의 계산	예 86÷7의 계산	예 853÷3의 계산

$$
\begin{array}{r}
2\ 1 \\
4\,)\overline{8\ 4} \\
8 \\
\hline
4 \\
4 \\
\hline
❶
\end{array}
$$

$$
\begin{array}{r}
1\ 2 \\
7\,)\overline{8\ 6} \\
7 \\
\hline
❷\ 6 \\
1\ 4 \\
\hline
2
\end{array}
$$

$$
\begin{array}{r}
2\ 8\ 4 \\
3\,)\overline{8\ 5\ 3} \\
6 \\
\hline
2\ 5 \\
2\ 4 \\
\hline
1\ ❸ \\
1\ 2 \\
\hline
1
\end{array}
$$

 높은 자리부터 순서대로 계산 해.

정답 ❶ 0   ❷ 1   ❸ 3

1-1 계산해 보세요.

(1)

$$4\overline{)52}$$

(2)

$$2\overline{)93}$$

1-2 계산해 보세요.

(1) $62 \div 2$

(2) $35 \div 3$

2-1 나눗셈의 몫에 ○표, 나머지에 △표 하세요.

$$386 \div 9$$

6	8	40	42

2-2 나눗셈의 몫에 ○표, 나머지에 △표 하세요.

$$67 \div 5$$

3	2	13	11

3-1 빈칸에 알맞은 수를 써넣으세요.

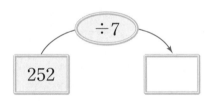

3-2 빈 곳에 알맞은 수를 써넣으세요.

4-1 나눗셈을 계산하고, 몫과 나머지의 합을 구해 보세요.

$$2\overline{)85}$$

(　　　　　　)

4-2 나눗셈의 몫과 나머지의 합을 구해 보세요.

$$729 \div 8$$

(　　　　　　)

교과서 기초 개념

• 21÷4를 계산하고 계산이 맞는지 확인하기

$$21 \div 4 = 5 \cdots 1$$

확인 $4 \times 5 = 20, \quad 20 + 1 = 21$

나누는 수와 몫의 곱에 나머지를 더하면 나누어지는 수가 되어야 합니다.

참고

나누어떨어지는 나눗셈에서는 나머지가 0이므로 나누는 수와 몫의 곱이 나누어지는 수가 되어야 합니다.

예 46÷2를 계산하고 계산이 맞는지 확인하기

$46 \div 2 = 23$ ➡ 확인 $2 \times 23 = 46$

1-1 ☐ 안에 알맞은 수를 써넣으세요.

$$25 \div 3 = 8 \cdots 1$$

확인 $3 \times \boxed{} = 24$, $24 + \boxed{} = \boxed{}$

1-2 ☐ 안에 알맞은 수를 써넣으세요.

$$83 \div 7 = 11 \cdots \boxed{}$$

확인 $\boxed{} \times 11 = 77$, $\boxed{} + \boxed{} = 83$

[**2-1 ~ 2-2**] ☐ 안에 알맞은 수를 써넣어 계산이 맞는지 확인하고, 계산이 맞으면 ○표, 틀리면 ×표 하세요.

2-1 $65 \div 7 = 9 \cdots 1$

확인 $7 \times 9 = \boxed{}$, $\boxed{} + 1 = \boxed{}$

( )

2-2 $50 \div 3 = 16 \cdots 2$

확인 $3 \times \boxed{} = 48$, $\boxed{} + \boxed{} = 50$

( )

3-1 나눗셈과 관계있는 것을 찾아 이어 보세요.

$58 \div 9$ •

• $9 \times 6 = 54$, $54 + 4 = 58$

• $4 \times 14 = 56$, $56 + 2 = 58$

3-2 나눗셈과 관계있는 것을 찾아 이어 보세요.

$81 \div 4$ •

• $4 \times 21 = 84$, $84 + 1 = 85$

• $4 \times 20 = 80$, $80 + 1 = 81$

[**4-1 ~ 4-2**] 계산해 보고, 계산 결과가 맞는지 확인해 보세요.

4-1

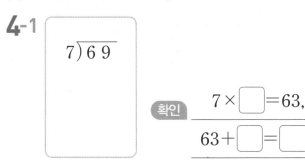

$7) \overline{6\ 9}$

확인 $7 \times \boxed{} = 63$,
$63 + \boxed{} = \boxed{}$

4-2

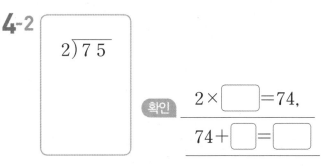

$2) \overline{7\ 5}$

확인 $2 \times \boxed{} = 74$,
$74 + \boxed{} = \boxed{}$

기초 집중 연습

 기본 문제 연습

[1-1 ~ 1-2] 계산해 보고, 계산 결과가 맞는지 확인해 보세요.

1-1
$$23 \div 3 = \boxed{} \cdots \boxed{}$$

확인　$3 \times \boxed{} = 21, \boxed{} + \boxed{} = \boxed{}$

1-2
$$87 \div 4 = \boxed{} \cdots \boxed{}$$

확인

2-1 계산을 하여 ☐ 안에 알맞은 수를 써넣고, 바르게 설명한 것을 찾아 기호를 써 보세요.

$$93 \div 7 = \boxed{} \cdots \boxed{}$$

㉠ 몫은 15보다 작습니다.
㉡ 나머지는 0으로 나누어떨어집니다.

(　　　　　　　)

2-2 계산을 하여 ☐ 안에 알맞은 수를 써넣고, 바르게 설명한 것을 찾아 ○표 하세요.

$$87 \div 8 = \boxed{} \cdots \boxed{}$$

· 몫은 두 자리 수입니다. ·········· (　　　)
· 나머지는 7보다 큽니다. ·········· (　　　)

[3-1 ~ 3-2] 보기 는 어떤 나눗셈식을 계산하고 계산 결과가 맞는지 확인한 식입니다. 계산한 나눗셈식을 쓰고, 몫과 나머지를 각각 구해 보세요.

3-1 보기
$$7 \times 9 = 63, \ 63 + 5 = 68$$

나눗셈식　$\boxed{} \div \boxed{}$

몫 (　　　　　　　)

나머지 (　　　　　　　)

3-2 보기
$$6 \times 8 = 48, \ 48 + 3 = 51$$

나눗셈식　$\boxed{} \div \boxed{}$

몫 (　　　　　　　)

나머지 (　　　　　　　)

▶ 정답 및 풀이 12쪽

 연산 → 문장제 연습   똑같은 길이로 나눌 때에는 나눗셈으로 계산하자.

연산 □ 안에 알맞은 수를 써넣으세요.

$$328 \div 8 = \boxed{}$$

 이 나눗셈식이 어떤 상황에서 이용될까요?

4-1 리본 1개를 만드는 데 끈이 8 cm 필요합니다. 끈 328 cm로 만들 수 있는 리본은 몇 개인가요?

식 $\boxed{} \div \boxed{} = \boxed{}$

답 _____

4-2 세 사람의 대화를 읽고 털실 한 뭉치의 길이는 몇 cm인지 구해 보세요.

 전체 털실의 길이는 82 cm야.

 털실을 똑같이 2뭉치로 나눠야 해.

 그럼 털실 한 뭉치는 몇 cm가 될까?

식 _____

답 _____

4-3 길이가 286 cm인 나무 막대를 한 도막이 5 cm가 되도록 잘랐습니다. 5 cm짜리 도막은 몇 개이고, 남은 나무 막대의 길이는 몇 cm인지 각각 구해 보세요.

식 _____

답 5 cm짜리 도막 수: _____ ,

남은 나무 막대의 길이: _____

2주
4일

교과서 기초 개념

• 원의 구성 요소

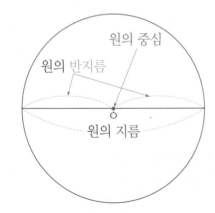

원의 중심: 원을 그릴 때에 누름 못이 꽂혔던 점 ○

원의 반지름: 원의 중심 ○과 원 위의 한 점을 이은 선분

원의 지름: 원 위의 두 점을 이은 선분 중에서 중심 ○을 지나는 선분

• 원의 중심은 **1개뿐**이야.

• 한 원에서 반지름과 지름은 **무수히 많이** 그을 수 있어.

• 한 원에서 반지름의 길이와 지름의 길이는 각각 **모두 같아.**

1-1 ☐ 안에 알맞은 말을 써넣으세요.

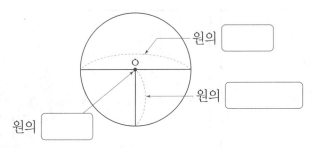

원의 ☐

원의 ☐

원의 ☐

1-2 원의 중심, 반지름, 지름을 각각 찾아 ☐ 안에 기호를 써 보세요.

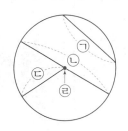

원의 중심: ☐

원의 반지름: ☐

원의 지름: ☐

2-1 원의 중심을 찾아 써 보세요.

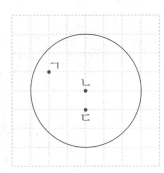

점 ☐

2-2 원의 중심을 찾아 점(·)으로 표시해 보세요.

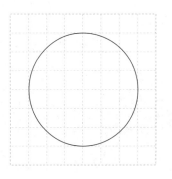

3-1 점 ○은 원의 중심입니다. ☐ 안에 알맞은 수를 써넣으세요.

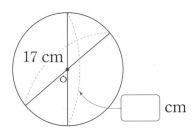

17 cm

☐ cm

3-2 점 ○은 원의 중심입니다. ☐ 안에 알맞은 수를 써넣으세요.

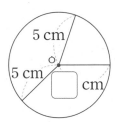

5 cm

5 cm

☐ cm

4-1 오른쪽 원에서 원의 지름을 나타내는 선분을 찾아 써 보세요.

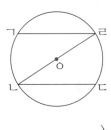

(　　　　　)

4-2 오른쪽 원에서 원의 반지름을 나타내는 선분을 찾아 써 보세요.

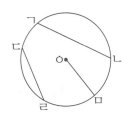

(　　　　　)

 교과서 기초 개념

• 원의 성질

지름은 원을 둘로 똑같이 나눔	한 원에서 **지름**은 **반지름의 2배**	**지름**은 원 안에 그을 수 있는 **가장 긴 선분**

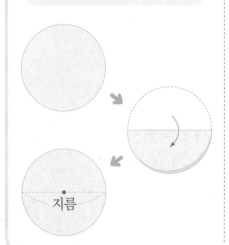

3 cm
6 cm

반지름: 3 cm, 지름: 6 cm

→ $3 \times 2 = 6$ (cm)

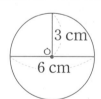 반지름은
지름의 반이야.

원의

①

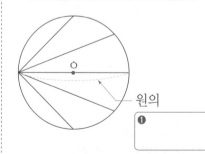 길이가 가장 긴 선분은
원의 중심을 지나.

정답 **①** 지름

1-1 오른쪽 원을 보고 ☐ 안에 알맞은 말을 써넣으세요.

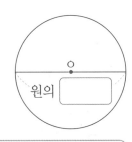

원의 ☐

원의 ☐ 은/는 원을 둘로 똑같이 나눕니다.

1-2 원을 보고 ☐ 안에 알맞은 수를 써넣으세요.

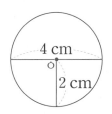

한 원에서 지름은 반지름의 ☐ 배 입니다.

2-1 원을 보고 ☐ 안에 알맞게 써넣으세요.

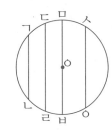

길이가 가장 긴 선분 ➡ 선분 ☐

2-2 길이가 가장 긴 선분을 찾아 써 보세요.

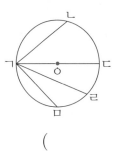

( )

3-1 원에 지름을 1개 그어 보세요.

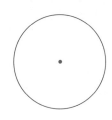

3-2 원에 지름을 2개 그어 보세요.

[**4-1 ~ 4-2**] 점 ㅇ은 원의 중심입니다. ☐ 안에 알맞은 수를 써넣으세요.

4-1

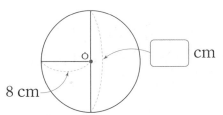

☐ cm

8 cm

4-2

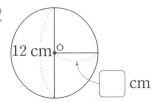

12 cm

☐ cm

기본 문제 연습

1-1 오른쪽 원에서 점 ㅇ은 원의 중심입니다. 원의 지름은 몇 cm인가요?

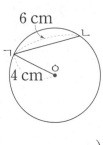

( )

1-2 오른쪽 원에서 점 ㅇ은 원의 중심입니다. 원의 반지름은 몇 cm인가요?

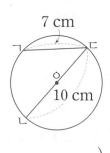

( )

2-1 오른쪽 원에 지름을 1개 긋고, 지름은 몇 cm인지 자로 재어 보세요.

( )

2-2 오른쪽 원에 반지름을 1개 긋고, 반지름은 몇 cm인지 자로 재어 보세요.

( )

3-1 원의 반지름에 대해 바르게 설명한 사람은 누구인지 이름을 써 보세요.

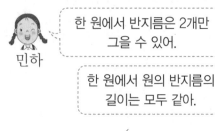

민하: 한 원에서 반지름은 2개만 그을 수 있어.

정우: 한 원에서 원의 반지름의 길이는 모두 같아.

( )

3-2 원의 지름에 대한 설명으로 옳으면 ○표, 틀리면 ×표 하세요.

• 원의 지름은 원 위의 두 점을 이은 선분 중 가장 긴 선분입니다. ……… ( )

• 원의 지름은 원을 넷으로 똑같이 나눕니다. ……………………… ( )

4-1 크기가 더 큰 원을 찾아 기호를 써 보세요.

㉠ 반지름이 7 cm인 원
㉡ 지름이 16 cm인 원

( )

4-2 크기가 더 작은 원을 찾아 기호를 써 보세요.

㉠ 지름이 8 cm인 원
㉡ 반지름이 6 cm인 원

( )

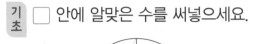 **기초 → 기본 연습** 지름을 보고 반지름을 구하자.

기초 ☐ 안에 알맞은 수를 써넣으세요.

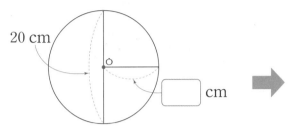

20 cm

☐ cm

원의 반지름을 구해 볼까요?

5-1 점 ㄱ과 점 ㄴ은 각각 원의 중심입니다. 작은 원의 지름은 몇 cm인가요?

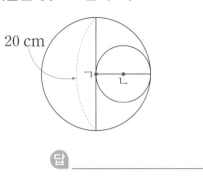

20 cm

답 _____

5-2 점 ㄱ과 점 ㄴ은 각각 원의 중심입니다. 선분 ㄱㄷ은 몇 cm인가요?

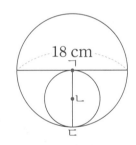

18 cm

답 _____

5-3 점 ㄱ과 점 ㄴ은 각각 원의 중심입니다. 선분 ㄱㄴ은 몇 m인가요?

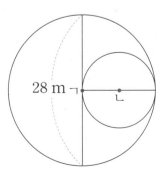

28 m

답 _____

2주
5일

누구나 **100점 맞는** 테스트

1 계산해 보세요.

(1) $28 \div 2$

(2) $69 \div 3$

2 점 ○은 원의 중심입니다. 원의 반지름은 몇 cm인가요?

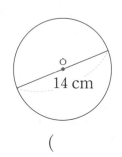

14 cm

( )

3 빈칸에 알맞은 수를 써넣으세요.

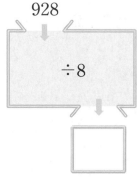

928

$\div 8$

4 나눗셈을 계산하고, 몫과 나머지를 각각 구해 보세요.

$$7 \overline{)79}$$

몫 ( )

나머지 ( )

5 책 48권을 책꽂이 3칸에 똑같이 나누어 꽂으려고 합니다. 한 칸에 꽂을 수 있는 책은 몇 권인가요?

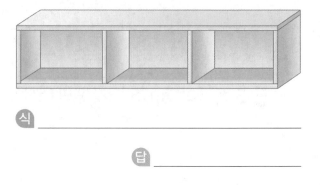

식 _____

답 _____

6 원에 대해 바르게 설명한 사람은 누구인지 이름을 써 보세요.

영탁 — 한 원에서 원의 중심은 4개야.

태연 — 한 원에서 반지름의 길이는 모두 같아.

민호 — 원의 지름은 원의 중심을 지나지 않아.

(   )

7 참외 63개를 5명에게 똑같이 나누어 주려고 합니다. 참외를 한 명에게 몇 개씩 줄 수 있고, 몇 개가 남는지 차례로 써 보세요.

식 _____

답 _____ , _____

8 나눗셈을 맞게 계산했는지 확인한 식을 찾아 기호를 써 보세요.

$$93 \div 4$$

ㄱ $4 \times 23 = 92,\ 92 + 3 = 95$
ㄴ $4 \times 23 = 92,\ 92 + 1 = 93$
ㄷ $4 \times 22 = 88,\ 88 + 5 = 93$

(   )

9 가장 큰 수를 가장 작은 수로 나눈 몫과 나머지를 각각 구해 보세요.

73, 2, 65

몫 (   )

나머지 (   )

2주
평가

10 고인돌에서 몫이 두 자리 수인 나눗셈식이 적힌 곳을 모두 찾아 색칠해 보세요.

고인돌은 옛날에 돌로 만든 무덤이야.

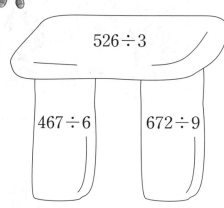

$526 \div 3$

$467 \div 6$ $672 \div 9$

창의 · 융합 · 코딩

누가 몇 층에 살까?

창의1 상필, 새날, 상선이는 같은 아파트에 삽니다.

 누가 몇 층에 사는지
빈칸에 각각 알맞게 써넣어 봐~

상필	새날	상선

힌트를 보고 보물을 찾자!

힌트를 보고 보물이 있는 방을 찾아보세요.

힌트를 보고 크기가 같은
원이 그려져 있는 방을
찾아서 ◯표 해 봐.

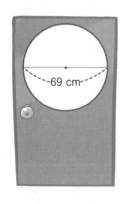

(   )   (   )   (   )

융합 **3** 체육 시간에 600 m를 4명이 이어서 달리려고 합니다. 600 m를 똑같이 나누어 달린다면 한 명이 달리는 거리는 몇 m인가요?

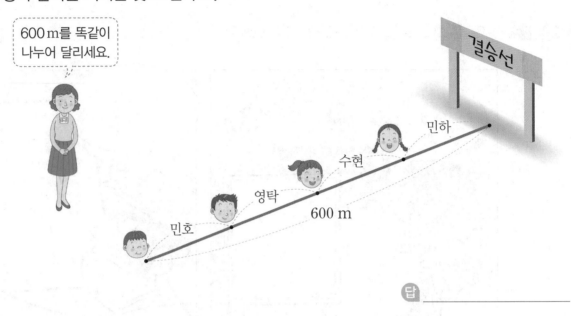

답 _____

융합 **4** 라오스에서 사용하는 돈의 단위는 킵입니다. 어느 날 우리나라 돈 1원이 라오스 돈으로 8킵일 때 라오스 돈 624킵은 우리나라 돈으로 얼마인지 구해 보세요.

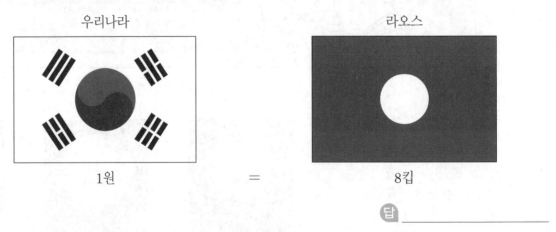

답 _____

창의 **5** 보기 와 같이 나눗셈을 계산했을 때의 나머지가 나오는 마술 상자가 있습니다. 이 마술 상 자에 79와 547을 각각 넣었을 때 나오는 수를 빈칸에 써넣으세요.

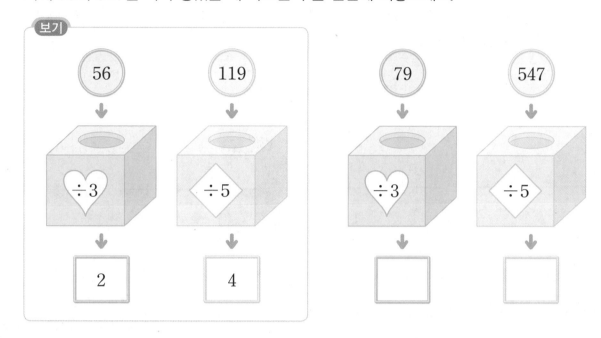

코딩 **6** 순서도에 따라 출력되는 값을 구해 보세요.

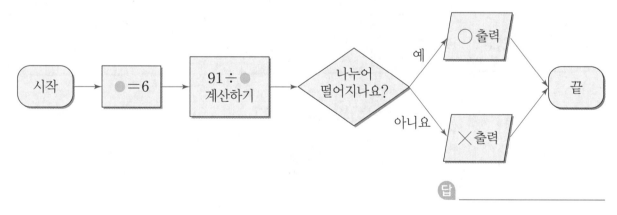

답 _____

[7~8] 보기와 같이 버튼을 누르면 바로 전의 수를 9로 나누었을 때의 몫이 표시되고, 버튼을 누르면 바로 전의 수를 9로 나누었을 때의 나머지가 표시됩니다. 버튼을 눌렀을 때 빈칸에 알맞은 수를 써넣으세요.

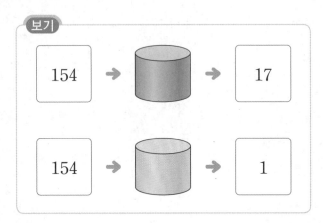

코딩7

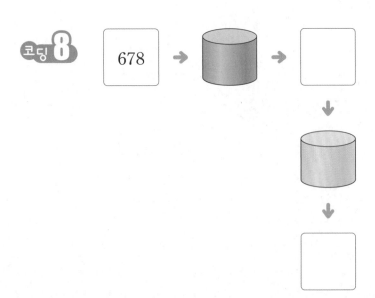

 버튼을 누르면 9로 나누었을 때의 몫이 표시되고, 버튼을 누르면 9로 나누었을 때의 나머지가 표시돼.

코딩8

678 →

고양이와 같이 사다리를 타고 내려간 곳에 나눗셈의 몫을 써넣으세요.

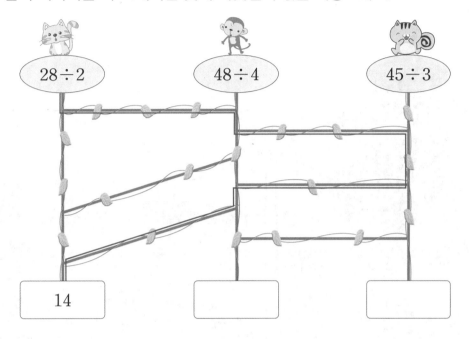

$28 \div 2$ $48 \div 4$ $45 \div 3$

14

 민수네 가족이 얼음 낚시를 하기 위해 원 모양의 구멍을 뚫었습니다. 뚫은 구멍이 가장 큰 사람은 누구인가요?

내가 뚫은 구멍은 지름이 40 cm란다.

내가 뚫은 구멍은 지름이 42 cm야.

제가 뚫은 구멍은 반지름이 22 cm예요.

아빠 엄마 민수

답 _____

3주 원 / 분수 / 들이와 무게

3주에는 무엇을 공부할까? ①

1일 컴퍼스를 이용하여 원 그리기, 원을 이용하여 여러 가지 모양 그리기
2일 분수로 나타내기, 분수만큼은 얼마인지 알아보기 ⑴
3일 분수만큼은 얼마인지 알아보기 ⑵, 여러 가지 분수 ⑴
4일 여러 가지 분수 ⑵, 분모가 같은 분수의 크기 비교하기
5일 들이의 단위, '몇 L 몇 mL'와 '몇 mL'로 나타내기

다음날

나 이제 $4\frac{5}{7}$ m까지 올라갈 수 있어.

$4\frac{5}{7}$?

대분수: 자연수와 진분수로 이루어진 분수

$4\frac{5}{7}$는 자연수 4와 진분수 $\frac{5}{7}$로 이루어진 분수니까⋯⋯ 대분수야.

근데⋯⋯ 난 아무래도 나무타기에 재능이 없는 것 같아.

곰돌이 이 녀석! 어딨어?

잘못했습니다. 용서해 주세요.

얼른 내려오지 못해?

헉! 나무타기에 타고난 재능이 있었네⋯⋯

후 다 다 닥

꿀 한 통을 혼자 다 먹다니!

헉! 들켰다.

3-1 분수와 소수

$\dfrac{1}{2}$ → 노란색으로 색칠한 부분의 수

$\phantom{\dfrac{1}{2}}$ → 전체를 똑같이 나눈 수

분수 $\dfrac{1}{2}$은
2분의 1이라고 읽어.

1-1 색칠한 부분을 분수로 나타내어 보세요.

1-2 색칠한 부분을 분수로 나타내어 보세요.

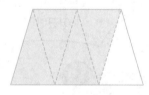

[**2-1 ~ 2-2**] 두 분수의 크기를 비교하여 ◯ 안에 >, =, <를 알맞게 써넣으세요.

2-1 (1) $\dfrac{2}{6}$ ◯ $\dfrac{5}{6}$

(2) $\dfrac{9}{10}$ ◯ $\dfrac{7}{10}$

2-2 (1) $\dfrac{4}{8}$ ◯ $\dfrac{3}{8}$

(2) $\dfrac{5}{12}$ ◯ $\dfrac{11}{12}$

3-1 길이와 시간

먼 거리를 간단하게
나타낼 때 km를 써~

1000 m=1 km야.

3-1 ☐ 안에 알맞은 수를 써넣으세요.

(1) 8 cm 1 mm= ☐ mm

(2) 39 mm= ☐ cm ☐ mm

3-2 ☐ 안에 알맞은 수를 써넣으세요.

(1) 9 km 200 m= ☐ m

(2) 5400 m= ☐ km ☐ m

4-1 길이가 같은 것끼리 이어 보세요.

50 mm	•	• 5 cm
75 mm	•	• 5 cm 7 mm
		• 7 cm 5 mm

4-2 길이가 같은 것끼리 이어 보세요.

6 km	•	• 3060 m
3 km 600 m	•	• 3600 m
		• 6000 m

교과서 기초 개념

• 주어진 원과 크기가 같은 원 그리기

반지름이 1 cm인 원

크기가 같은 원을 그리려면
원의 중심을 찾고 반지름을 알아야 해.

①
원의 중심이 되는
점 ○을 정합니다.

② 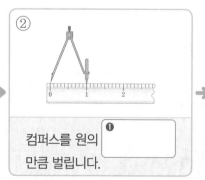
컴퍼스를 원의
❶ [　　　]
만큼 벌립니다.

③ 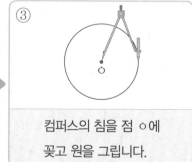
컴퍼스의 침을 점 ○에
꽂고 원을 그립니다.

1-1 반지름이 2 cm인 원을 그리려고 합니다. 순서에 맞게 번호를 쓰세요.

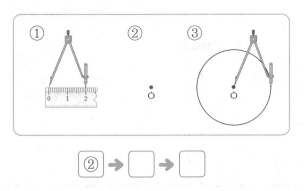

② → ☐ → ☐

1-2 점 ㅇ을 원의 중심으로 하는 반지름이 5 cm 인 원을 그리는 순서입니다. ☐ 안에 알맞게 써넣으세요.

① 원의 중심이 되는 점 ㅇ을 정합니다.
② 컴퍼스의 침과 연필심 사이를 ☐cm가 되도록 벌립니다.
③ 컴퍼스의 침을 점 ☐에 꽂고 원을 그립니다.

2-1 컴퍼스를 3 cm가 되도록 벌린 것에 ○표 하세요.

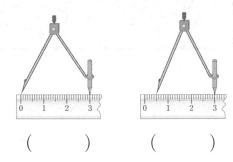

(　　)　　(　　)

2-2 그림과 같이 컴퍼스를 벌려 그린 원의 반지름은 몇 cm인지 ○표 하세요.

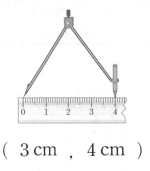

(3 cm , 4 cm)

3-1 컴퍼스를 이용하여 점 ㅇ을 원의 중심으로 하는 반지름이 모눈 2칸인 원을 그려 보세요.

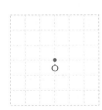

3-2 컴퍼스를 이용하여 점 ㅇ을 원의 중심으로 하는 반지름이 모눈 3칸인 원을 그려 보세요.

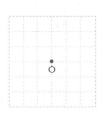

3주
1일

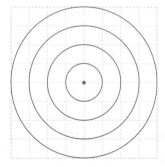 **교과서 기초 개념**

• **규칙을 찾아 원 그리기**

1. 원의 중심이 같은 원 그리기

(1) 원의 중심이 모두 같습니다.

(2) 원의 반지름이 모눈 **❶**　칸 씩 늘어납니다.

2. 원의 반지름이 변하지 않는 원 그리기

(1) 원의 중심이 오른쪽으로 모눈 **❷**　칸씩 이동하였습니다.

(2) 원의 반지름이 변하지 않았습니다.

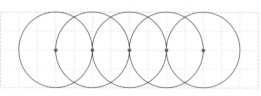
원의 중심과 원의 반지름의 규칙을 각각 찾아봐~

정답 **❶** 1　　**❷** 2

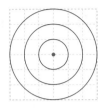

[1-1 ~ 1-2] 규칙에 따라 원을 그린 것입니다. 원의 중심과 원의 반지름 중에서 원을 그릴 때마다 변하는 것에 ○표 하세요.

1-1

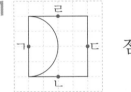

(원의 중심 , 원의 반지름)

1-2

(원의 중심 , 원의 반지름)

[2-1 ~ 2-2] 주어진 모양을 그리기 위하여 컴퍼스의 침을 꽂아야 할 곳을 찾아 기호를 쓰세요.

2-1

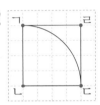

점 ☐

2-2

점 ☐

[3-1 ~ 3-2] 주어진 모양을 그리기 위하여 컴퍼스의 침을 꽂아야 할 곳을 모눈종이에 모두 표시해 보세요.

3-1

3-2

4-1 그림과 같이 원들이 맞닿도록 모눈종이에 반지름을 1칸씩 늘려 가며 원을 1개 더 그려 보세요.

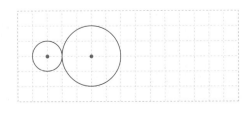

4-2 규칙에 따라 원을 1개 더 그려 보세요.

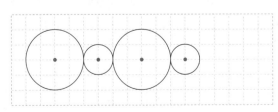

기초 집중 연습

기본 문제 연습

1-1 순서에 따라 반지름이 2 cm인 원을 그려 보세요.

> ① 컴퍼스를 2 cm만큼 벌립니다.
> ② 컴퍼스의 침을 점 ㅇ에 꽂고 한쪽 방향으로 돌려 원을 그립니다.

1-2 점 ㅇ을 중심으로 하는 반지름이 3 cm인 원을 그려 보세요.

[**2**-1 ~ **2**-2] 컴퍼스를 이용하여 왼쪽과 크기가 같은 원을 그려 보세요.

2-1

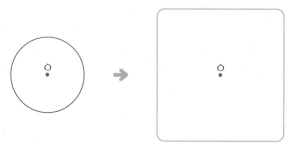

2-2

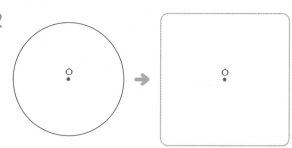

3-1 주어진 모양과 똑같이 그려 보세요.

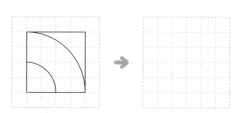

3-2 주어진 모양과 똑같이 그려 보세요.

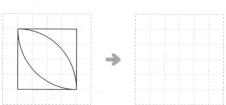

기초 → 기본 연습　규칙을 찾을 때는 원의 중심과 원의 반지름을 확인해 보자.

기초 규칙에 따라 그린 원을 보고 원의 중심을 모눈종이에 표시해 보세요.

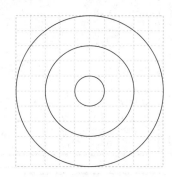

→

4-1 **기초** 의 모양을 보고 규칙을 설명해 보세요.

규칙 원의 중심은 (같고, 이동하고), 원의 반지름은 모눈 ▢칸씩 늘어납니다.

4-2 원을 그린 모양을 보고 규칙을 설명해 보세요.

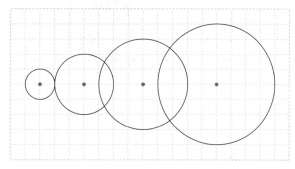

규칙 원의 중심은 오른쪽으로 모눈 3칸, 4칸, ▢칸 이동하고, 원의 반지름은 모눈 ▢칸씩 늘어납니다.

4-3 규칙에 따라 원을 1개 더 그려 보세요.

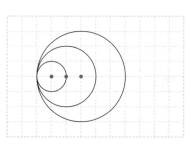

원의 중심이 오른쪽으로 모눈 1칸씩 이동하고, 원의 반지름이 모눈 1칸씩 늘어나는 규칙이야~

 교과서 **기초 개념**

• **부분은 전체의 얼마인지 분수로 나타내기**

(예) 복숭아 6개를 똑같이 3부분으로 나누고, 부분은 전체의 얼마인지 알아보기

(1) 부분 🍑🍑 은 전체 🍑🍑🍑🍑🍑🍑 를 똑같이 **3부분**으로 나눈 것 중의

　☐**❶**　입니다.

(2) 부분 🍑🍑 은 **3묶음** 중에서 **1묶음**이므로 **전체의** $\dfrac{☐\text{❷}}{3}$ 입니다.

1-1 그림을 보고 □ 안에 알맞은 수를 써넣으세요.

색칠한 부분은 6묶음 중에서 1묶음이므로

전체의 □/□ 입니다.

1-2 그림을 보고 □ 안에 알맞은 수를 써넣으세요.

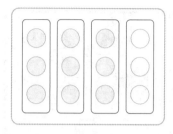

색칠한 부분은 4묶음 중에서 3묶음이므로

전체의 □/□ 입니다.

[2-1 ~ 2-2] 그림을 보고 □ 안에 알맞은 수를 써넣으세요.

2-1

18을 6씩 묶으면 □묶음이 됩니다.

6은 18의 □/3 입니다.

2-2

12를 2씩 묶으면 □묶음이 됩니다.

8은 12의 □/6 입니다.

3-1 색칠한 부분을 분수로 나타내어 보세요.

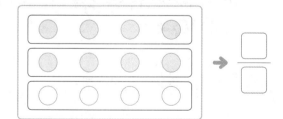 ➡ □/□

3-2 색칠한 부분을 분수로 나타내어 보세요.

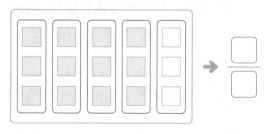 ➡ □/□

 교과서 기초 개념

- **전체에 대한 분수만큼은 얼마인지 알아보기**

  例 10의 $\dfrac{1}{5}$은 얼마인지 알아보기

  (1) 감 10개를 똑같이 **5묶음**으로 나누기

  (2) 10을 똑같이 **5묶음**으로 나눈 것 중의 **1묶음** ➡ 2

  (3) 10의 $\dfrac{1}{5}$은 ❶☐ 입니다.

  例 10의 $\dfrac{4}{5}$는 얼마인지 알아보기

  (1) 감 10개를 똑같이 **5묶음**으로 나누기

  (2) 10을 똑같이 **5묶음**으로 나눈 것 중의 **4묶음** ➡ 8

  (3) 10의 $\dfrac{4}{5}$는 ❷☐ 입니다.
  └ 10의 $\dfrac{1}{5}$의 4배

정답 ❶ 2 ❷ 8

1-1 그림을 보고 ☐ 안에 알맞은 수를 써넣으세요.

(1) 연필 9자루를 똑같이 3묶음으로 나누면
1묶음에 연필은 ☐ 자루입니다.

(2) 9의 $\frac{1}{3}$ 은 ☐ 입니다.

(3) 9의 $\frac{2}{3}$ 는 ☐ 입니다.

1-2 그림을 보고 ☐ 안에 알맞은 수를 써넣으세요.

(1) 쿠키 8개를 똑같이 4묶음으로 나누면
1묶음에 쿠키는 ☐ 개입니다.

(2) 8의 $\frac{1}{4}$ 은 ☐ 입니다.

(3) 8의 $\frac{3}{4}$ 은 ☐ 입니다.

2-1 그림을 보고 ☐ 안에 알맞은 수를 써넣으세요.

(1) 15의 $\frac{1}{5}$ 은 ☐ 입니다.

(2) 15의 $\frac{4}{5}$ 는 ☐ 입니다.

2-2 그림을 보고 ☐ 안에 알맞은 수를 써넣으세요.

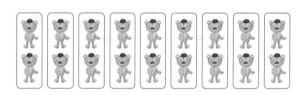

(1) 18의 $\frac{1}{9}$ 은 ☐ 입니다.

(2) 18의 $\frac{7}{9}$ 은 ☐ 입니다.

3-1 초콜릿 12개를 똑같이 6묶음으로 나누어
묶고 ☐ 안에 알맞은 수를 써넣으세요.

12의 $\frac{1}{6}$ 은 ☐ 입니다.

12의 $\frac{5}{6}$ 는 ☐ 입니다.

3-2 딸기 14개를 똑같이 7묶음으로 나누어 묶
고 ☐ 안에 알맞은 수를 써넣으세요.

14의 $\frac{1}{7}$ 은 ☐ 입니다.

14의 $\frac{6}{7}$ 은 ☐ 입니다.

3주
2일

2_일 기초 집중 연습

🐸 **기본 문제 연습**

[**1-1** ~ **1-2**] 그림을 보고 ☐ 안에 알맞은 수를 써넣으세요.

1-1

12를 3씩 묶으면 ☐묶음이 됩니다.

9는 12의 $\frac{☐}{☐}$입니다.

1-2

18을 2씩 묶으면 ☐묶음이 됩니다.

12는 18의 $\frac{☐}{☐}$입니다.

2-1 그림을 보고 ☐ 안에 알맞은 수를 써넣으세요.

8의 $\frac{1}{4}$은 ☐입니다.

2-2 그림을 보고 ☐ 안에 알맞은 수를 써넣으세요.

20의 $\frac{3}{5}$은 ☐입니다.

3-1 ☐ 안에 알맞은 수를 써넣으세요.

27을 3씩 묶으면 12는 27의 $\frac{☐}{☐}$입니다.

3-2 ☐ 안에 알맞은 수를 써넣으세요.

16을 4씩 묶으면 8은 16의 $\frac{☐}{☐}$입니다.

4-1 ☐ 안에 알맞은 수를 써넣으세요.

(1) 32의 $\frac{1}{8}$은 ☐입니다.

(2) 32의 $\frac{5}{8}$는 ☐입니다.

4-2 ☐ 안에 알맞은 수를 써넣으세요.

(1) 24의 $\frac{1}{6}$은 ☐입니다.

(2) 24의 $\frac{5}{6}$는 ☐입니다.

▶ 정답 및 풀이 17쪽

기초 → 문장제 연습 　전체의 $\dfrac{\triangle}{\blacksquare}$ 는 전체를 똑같이 ■묶음으로 나눈 것 중의 ▲묶음!

 □ 안에 알맞은 수를 써넣으세요.

18의 $\dfrac{4}{9}$ 는 □ 입니다.

이 문제는 어떤 상황에서 이용될까요?

5-1 영지는 가지고 있던 사탕 18개의 $\dfrac{4}{9}$ 를 먹었습니다. 영지가 먹은 사탕은 몇 개일까요?

답 _____

5-2 주머니 안에 들어 있는 빨간 구슬은 몇 개일까요?

주머니 안에 들어 있는 구슬 21개의 $\dfrac{4}{7}$ 는 빨간 구슬이야.

답 _____

5-3 윤수는 산 달걀의 $\dfrac{2}{5}$ 를 동생에게 주었습니다. 동생에게 준 달걀은 몇 개일까요?

내가 산 달걀은 10개야.

윤수

답 _____

3주 2일

🐹 교과서 기초 개념

• 길이에서 전체에 대한 분수만큼은 얼마인지 알아보기

예 12 cm의 분수만큼은 얼마인지 알아보기

```
0  1  2  3  4  5  6  7  8  9  10 11 12 (cm)
```
└ 12 cm를 똑같이 4로 나눈 것 중의 1

12 cm의 $\frac{1}{4}$은 3 cm입니다.

$\downarrow \times 3 \quad \downarrow \times 3$

```
0  1  2  3  4  5  6  7  8  9  10 11 12 (cm)
```
└ 12 cm를 똑같이 4로 나눈 것 중의 3

12 cm의 $\frac{3}{4}$은 ❶[ ] cm입니다.

정답 ❶ 9

[1-1 ~ 1-2] 그림을 보고 ☐ 안에 알맞은 수를 써넣으세요.

1-1　0　　　5　　　10　　　15 (cm)

$\left[\begin{array}{l} 15 \text{ cm의 } \dfrac{1}{3} \text{은 } \boxed{} \text{ cm입니다.} \\ 15 \text{ cm의 } \dfrac{2}{3} \text{는 } \boxed{} \text{ cm입니다.} \end{array}\right.$

1-2　0　　3　　6　　9　　12　　15 (cm)

$\left[\begin{array}{l} 15 \text{ cm의 } \dfrac{1}{5} \text{은 } \boxed{} \text{ cm입니다.} \\ 15 \text{ cm의 } \dfrac{2}{5} \text{는 } \boxed{} \text{ cm입니다.} \end{array}\right.$

[2-1 ~ 2-2] 그림을 보고 ☐ 안에 알맞은 수를 써넣으세요.

0　1　2　3　4　5　6　7　8　9　10　11　12　13　14　15　16　17　18 (cm)

2-1 18 cm의 $\dfrac{4}{9}$는 $\boxed{}$ cm입니다.

2-2 18 cm의 $\dfrac{5}{6}$는 $\boxed{}$ cm입니다.

[3-1 ~ 3-2] 그림을 보고 ☐ 안에 알맞은 수를 써넣으세요.

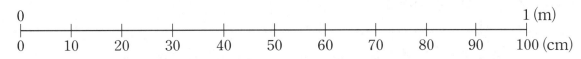

0　　　　　　　　　　　　　　　　　　　　　1 (m)
0　10　20　30　40　50　60　70　80　90　100 (cm)

3-1 $\left[\begin{array}{l} \dfrac{1}{10} \text{ m는 } \boxed{} \text{ cm입니다.} \\ \dfrac{7}{10} \text{ m는 } \boxed{} \text{ cm입니다.} \end{array}\right.$

3-2 $\left[\begin{array}{l} \dfrac{1}{5} \text{ m는 } \boxed{} \text{ cm입니다.} \\ \dfrac{3}{5} \text{ m는 } \boxed{} \text{ cm입니다.} \end{array}\right.$

4-1 ☐ 안에 알맞은 수를 써넣으세요.

16 cm의 $\dfrac{7}{8}$은 $\boxed{}$ cm입니다.

4-2 ☐ 안에 알맞은 수를 써넣으세요.

24 cm의 $\dfrac{3}{4}$은 $\boxed{}$ cm입니다.

교과서 기초 개념

• 진분수, 가분수, 자연수 알아보기

- **진분수**: $\dfrac{1}{4}$, $\dfrac{2}{4}$, $\dfrac{3}{4}$과 같이 분자가 **분모보다** 작은 분수

- **가분수**: $\dfrac{4}{4}$, $\dfrac{5}{4}$와 같이 **분자가 분모와 같거나 분모보다 큰 분수**

- **자연수**: 1, 2, 3과 같은 수 $\dfrac{4}{4}$는 1과 같습니다.

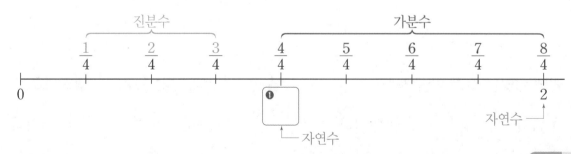

정답 ❶ 1

▶정답 및 풀이 18쪽

1-1 ☐ 안에 알맞은 수를 써넣으세요.

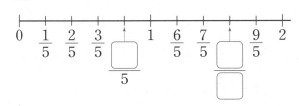

1-2 다음 분수를 수직선에 ↑로 나타내어 보세요.

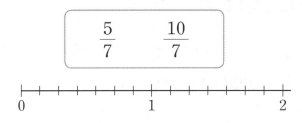

2-1 진분수에 ○표, 가분수에 △표 하세요.

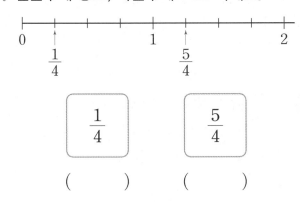

( )　　　( )

2-2 진분수에 ○표, 가분수에 △표 하세요.

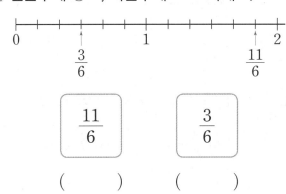

( )　　　( )

3-1 가분수에 색칠해 보세요.

3-2 진분수에 색칠해 보세요.

4-1 진분수는 '진', 가분수는 '가'를 써 보세요.

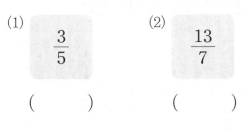

( )　　　( )

4-2 진분수는 '진', 가분수는 '가'를 써 보세요.

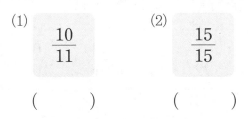

( )　　　( )

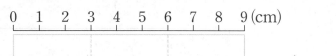

기본 문제 연습

1-1 9 cm의 종이띠를 $\frac{1}{3}$만큼 색칠하고 ☐ 안에 알맞은 수를 써넣으세요.

0 1 2 3 4 5 6 7 8 9 (cm)

9 cm의 $\frac{1}{3}$은 ☐ cm입니다.

1-2 10 cm의 종이띠를 $\frac{2}{5}$만큼 색칠하고 ☐ 안에 알맞은 수를 써넣으세요.

0 1 2 3 4 5 6 7 8 9 10 (cm)

10 cm의 $\frac{2}{5}$는 ☐ cm입니다.

2-1 ☐ 안에 알맞은 수를 써넣으세요.

$\frac{4}{5}$ m는 ☐ cm입니다.

2-2 $\frac{1}{2}$ m는 몇 cm일까요?

(   )

[3-1 ~ 3-2] 같은 길이끼리 이어 보세요.

3-1

20 cm의 $\frac{3}{4}$ •

35 cm의 $\frac{2}{7}$ •

• 10 cm

• 15 cm

• 20 cm

3-2

24 cm의 $\frac{4}{6}$ •

56 cm의 $\frac{5}{8}$ •

• 16 cm

• 24 cm

• 35 cm

4-1 가분수를 모두 찾아 써 보세요.

$\frac{1}{2}$ $\frac{9}{7}$ $\frac{11}{16}$ $\frac{10}{10}$

(   )

4-2 진분수는 모두 몇 개일까요?

$\frac{15}{4}$ $\frac{17}{20}$ $\frac{13}{13}$ $\frac{5}{7}$

(   )

▶정답 및 풀이 18쪽

 기초 → 문장제 연습 가분수(진분수)를 찾을 때는 분자와 분모의 크기를 비교하자.

기초 가분수를 찾아 써 보세요.

$$\frac{4}{9} \qquad \frac{9}{5} \qquad \frac{3}{10}$$

답 _____

이 가분수는 어떤 상황에서 이용될까요?

5-1 양념장을 만드는 데 필요한 재료 중에서 필요한 양이 가분수인 재료는 무엇일까요?

재료	식초	고추장	설탕
양	$\frac{4}{9}$컵	$\frac{9}{5}$컵	$\frac{3}{10}$컵

답 _____

5-2 팥빙수 한 개를 만드는 데 필요한 재료입니다. 필요한 양이 진분수인 재료를 모두 찾아 써 보세요.

재료	팥	얼음	연유
양	$\frac{4}{7}$컵	$\frac{13}{6}$컵	$\frac{3}{8}$컵

답 _____

5-3 세 학생 중 가지고 있는 색 테이프의 길이가 가분수인 사람은 누구일까요?

 수현

$\frac{7}{8}$ m

 영탁

$\frac{9}{9}$ m

 우석

$\frac{10}{11}$ m

답 _____

4일 · 분수 · 여러 가지 분수를 알아보기 (2)

교과서 기초 개념

• **대분수 알아보기**

> 대분수: 자연수와 진분수로 이루어진 분수

예 1과 $\frac{1}{3}$ → 쓰기 $1\frac{1}{3}$ 읽기 1과 3분의 1

• **대분수를 가분수로 나타내기**

예 $2\frac{1}{4}$ 을 가분수로 나타내기

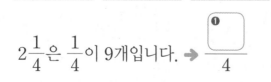

$2\frac{1}{4}$ 은 $\frac{1}{4}$ 이 9개입니다. → $\frac{❶}{4}$

• **가분수를 대분수로 나타내기**

예 $\frac{7}{2}$ 을 대분수로 나타내기

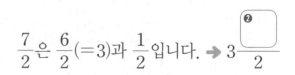

$\frac{7}{2}$ 은 $\frac{6}{2}(=3)$ 과 $\frac{1}{2}$ 입니다. → $3\frac{❷}{2}$

[**1**-1 ~ **1**-2] 보기 를 보고 각 그림을 대분수로 나타내어 보세요.

보기

1

1-1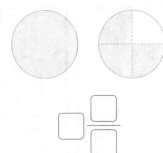

□ □/□

1-2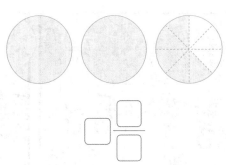

□ □/□

2-1 대분수를 읽어 보세요.

 $3\frac{1}{7}$ → ( )

2-2 대분수를 읽어 보세요.

$4\frac{5}{6}$ → ( )

3-1 대분수에 색칠해 보세요.

$\frac{9}{5}$　　$1\frac{4}{5}$

3-2 대분수에 색칠해 보세요.

$6\frac{1}{2}$　　$\frac{13}{2}$

[**4**-1 ~ **4**-2] 대분수는 가분수로, 가분수는 대분수로 나타내어 보세요.

4-1

$1\frac{1}{3}$ → ( )

4-2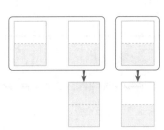

$\frac{3}{2}$ → ( )

교과서 기초 개념

• 분모가 같은 가분수의 크기 비교하기

> 분자의 크기가 큰 수가 더 큰 수입니다.

⑩ $\dfrac{7}{6}$과 $\dfrac{11}{6}$의 크기 비교

$\dfrac{7}{6}$ 0 —————— 1 —————— 2

$\dfrac{11}{6}$ 0 —————— 1 —————— 2

7 < 11이므로 $\dfrac{7}{6}$ ❶ $\dfrac{11}{6}$ 입니다.

• 분모가 같은 대분수의 크기 비교하기

자연수의 크기 비교 ➜ 자연수의 크기가 같으면 분자의 크기 비교

⑩ $1\dfrac{4}{5}$와 $2\dfrac{1}{5}$의 크기 비교

1 < 2이므로 $1\dfrac{4}{5}$ ❷ $2\dfrac{1}{5}$ 입니다.
└ 자연수의 크기 비교

⑩ $1\dfrac{2}{3}$와 $1\dfrac{1}{3}$의 크기 비교

2 > 1이므로 $1\dfrac{2}{3}$ ❸ $1\dfrac{1}{3}$ 입니다.
└ 분자의 크기 비교

정답 ❶ <   ❷ <   ❸ >

[**1-1 ~ 2-2**] 그림을 보고 두 분수의 크기를 비교하여 ○ 안에 >, =, <를 알맞게 써넣으세요.

1-1

$\dfrac{5}{3}$ ○ $\dfrac{4}{3}$

1-2

$1\dfrac{1}{4}$ ○ $1\dfrac{3}{4}$

2-1

$2\dfrac{1}{2}$ ○ $1\dfrac{1}{2}$

2-2

$\dfrac{7}{5}$ ○ $1\dfrac{3}{5}$

3-1 더 큰 분수에 ○표 하세요.

$2\dfrac{1}{9}$ $1\dfrac{4}{9}$

3-2 더 작은 분수에 △표 하세요.

$2\dfrac{1}{7}$ $2\dfrac{2}{7}$

4-1 가분수를 대분수로 나타낸 후, 더 큰 분수에 ○표 하세요.

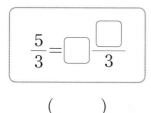 $\dfrac{5}{3} = \dfrac{\boxed{}}{3}$ $2\dfrac{1}{3}$

(   )   (   )

4-2 대분수를 가분수로 나타낸 후, 더 작은 분수에 △표 하세요.

$3\dfrac{1}{8} = \dfrac{\boxed{}}{8}$ $\dfrac{17}{8}$

(   )   (   )

기본 문제 연습

1-1 대분수를 찾아 써 보세요.

$$\frac{12}{7} \qquad 1\frac{7}{8} \qquad \frac{5}{6}$$

( )

1-2 대분수를 찾아 써 보세요.

$$\frac{3}{8} \qquad \frac{17}{9} \qquad 2\frac{4}{5}$$

( )

2-1 2와 $\frac{2}{3}$를 대분수로 쓰고, 가분수로 나타내어 보세요.

 ➡ ( )

2-2 대분수는 가분수로, 가분수는 대분수로 나타내어 보세요.

(1) $1\frac{5}{7}$ ➡ ( )

(2) $\frac{13}{4}$ ➡ ( )

3-1 대분수를 가분수로 바르게 나타낸 사람은 누구일까요?

$2\frac{1}{7} = \frac{21}{7}$ 우석

$3\frac{2}{3} = \frac{11}{3}$ 정우

( )

3-2 가분수를 대분수로 바르게 나타낸 것의 기호를 써 보세요.

$$\text{㉠ } \frac{23}{6} = 2\frac{3}{6} \qquad \text{㉡ } \frac{37}{10} = 3\frac{7}{10}$$

( )

[4-1 ~ 4-2] 두 분수의 크기를 비교하여 ◯ 안에 >, =, <를 알맞게 써넣으세요.

4-1 (1) $\frac{9}{5}$ ◯ $\frac{8}{5}$ (2) $3\frac{1}{4}$ ◯ $2\frac{3}{4}$

4-2 (1) $3\frac{1}{5}$ ◯ $3\frac{4}{5}$ (2) $2\frac{1}{8}$ ◯ $\frac{17}{8}$

▶ 정답 및 풀이 19쪽

 기초 → 문장제 연습 '더 멀리', '더 긴', '더 가까운 곳'은 분수의 크기를 비교하자.

기초 더 큰 분수에 ○표 하세요.

$$\frac{9}{8}$$ $$\frac{11}{8}$$

(   ) (   )

이 분수의 크기 비교는 어떤 상황에서 이용될까요?

5-1 주호와 수정이가 멀리 뛰기를 했습니다. 주호는 $\frac{9}{8}$ m, 수정이는 $\frac{11}{8}$ m를 뛰었다면 더 멀리 뛴 사람은 누구일까요?

답 _____

5-2 끈을 지호는 $9\frac{3}{7}$ m, 희재는 $8\frac{4}{7}$ m 가지고 있습니다. 가지고 있는 끈의 길이가 더 긴 사람은 누구일까요?

답 _____

5-3 현 위치에서 학교와 도서관까지의 직선 거리를 나타낸 것입니다. 학교와 도서관 중에서 더 가까운 곳은 어디일까요?

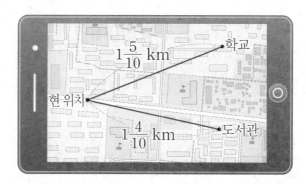

학교

$1\frac{5}{10}$ km

현 위치

$1\frac{4}{10}$ km

도서관

 답 _____

 교과서 기초 개념

• **1 L와 1 mL 알아보기**

> 들이의 단위에는 **리터**와 **밀리리터** 등이 있습니다.

쓰기 1 L **읽기** 1 리터 **쓰기** 1 mL **읽기** 1 밀리리터

1 L=1000 mL

• **들이를 어림하고 재어 보기**

 들이를 어림하여 말할 때는
약 ☐ L 또는 약 ☐ mL라고 합니다.

예  → 어림한 들이: 200 mL

직접 잰 들이: 180 mL

정답 ❶ 약

1-1 들이의 단위 mL를 사용하기에 적당한 것에 ○표 하세요.

양동이
(   )

컵
(   )

1-2 들이의 단위 L를 사용하기에 적당한 것에 ○표 하세요.

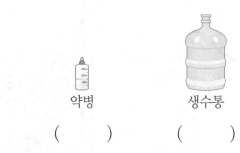
약병   생수통
(   )   (   )

2-1 들이를 쓰고 읽어 보세요.

4 L

쓰기 _____

읽기 (   )

2-2 들이를 쓰고 읽어 보세요.

200 mL

쓰기 _____

읽기 (   )

3-1 알맞은 단위에 ○표 하세요.

(1) 생수병의 들이는 약 500 (L , mL) 입니다.

(2) 대야의 들이는 약 2 (L , mL)입니다.

3-2 ☐ 안에 L와 mL 중 알맞은 단위를 써넣으세요.

(1) 음료수 캔의 들이는 약 250 ☐ 입니다.

(2) 욕조의 들이는 약 300 ☐ 입니다.

4-1 물의 양은 몇 L인지 눈금을 읽어 보세요.

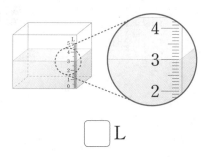

☐ L

4-2 물의 양은 몇 mL인지 눈금을 읽어 보세요.

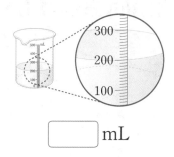

☐ mL

3주 5일

• **117**

교과서 기초 개념

• **몇 L 몇 mL 알아보기**

예) 1 L보다 300 mL 더 많은 들이

쓰기 **1 L 300 mL**　　읽기 **1 리터 300 밀리리터**

• **'몇 L 몇 mL'를 '몇 mL'로 나타내기**

예) **1 L 300 mL＝1 L＋300 mL**
　　　　　　 ＝1000 mL＋300 mL
　　　　　　 ＝[　❶　] **mL**

1 L는 1000 mL와 같아～

정답 ❶ 1300

1-1 4 L 600 mL를 쓰고 읽어 보세요.

쓰기

읽기 (   )

1-2 3 L 200 mL를 쓰고 읽어 보세요.

쓰기

읽기 (   )

[**2**-1 ~ **2**-2] 물의 양은 몇 L 몇 mL인지 눈금을 읽어 보세요.

2-1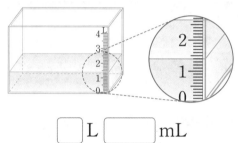

☐ L ☐ mL

2-2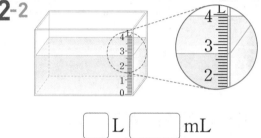

☐ L ☐ mL

3-1 ☐ 안에 알맞은 수를 써넣으세요.

2 L 400 mL = ☐ L + 400 mL

= ☐ mL + 400 mL

= ☐ mL

3-2 ☐ 안에 알맞은 수를 써넣으세요.

3 L 800 mL = ☐ L + 800 mL

= ☐ mL + 800 mL

= ☐ mL

4-1 ☐ 안에 알맞은 수를 써넣으세요.

4900 mL = ☐ mL + 900 mL

= ☐ L + 900 mL

= ☐ L ☐ mL

4-2 ☐ 안에 알맞은 수를 써넣으세요.

6100 mL = ☐ mL + 100 mL

= ☐ L + 100 mL

= ☐ L ☐ mL

기본 문제 연습

[**1**-1 ~ **1**-2] 보기 에 있는 물건을 선택하여 문장을 완성해 보세요.

1-1 보기
> 주사기   물병   욕조

(1) [   ]의 들이는 약 5 mL입니다.

(2) [   ]의 들이는 약 50 L입니다.

1-2 보기
> 수족관   주전자   요구르트

(1) [   ]의 들이는 약 65 mL입니다.

(2) [   ]의 들이는 약 2 L입니다.

2-1 ☐ 안에 알맞은 수를 써넣으세요.

(1) 2 L = [   ] mL

(2) 9000 mL = [   ] L

2-2 ☐ 안에 알맞은 수를 써넣으세요.

(1) 3 L 500 mL = [   ] mL

(2) 5400 mL = [   ] L [   ] mL

3-1 들이가 같은 것끼리 이어 보세요.

[3 L 100 mL] •

[4 L 500 mL] •

• 4500 mL

• 3100 mL

• 3010 mL

3-2 들이가 같은 것끼리 이어 보세요.

[2 L 80 mL] •

[2 L 8 mL] •

• 2008 mL

• 2800 mL

• 2080 mL

[**4**-1 ~ **4**-2] 들이를 비교하여 ◯ 안에 >, =, <를 알맞게 써넣으세요.

4-1 7 L 300 mL ◯ 7200 mL

4-2 8 L 400 mL ◯ 8600 mL

기초 → 문장제 연습 '1000 mL=1 L'를 이용하여 주어진 단위로 나타내자.

기초 ☐ 안에 알맞은 수를 써넣으세요.

2500 mL = ☐ L ☐ mL

이 들이는 어떤 상황에서 이용될까요?

5-1 주전자의 들이는 2500 mL입니다. 주전자의 들이는 몇 L 몇 mL일까요?

답 _____

5-2 페인트통의 들이는 5300 mL입니다. 페인트통의 들이는 몇 L 몇 mL일까요?

답 _____

5-3 민하가 어항에 받은 물은 몇 mL일까요?

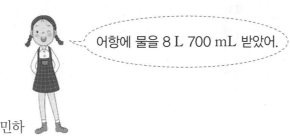

어항에 물을 8 L 700 mL 받았어.

민하

답 _____

1 그림을 보고 □ 안에 알맞은 수를 써넣으세요.

8의 $\frac{3}{4}$ 은 □ 입니다.

2 진분수에 ○표, 가분수에 △표 하세요.

$\frac{6}{13}$ $\frac{9}{7}$

(   )   (   )

3 태연이가 들이의 단위를 알맞게 사용했으면 ○표, 잘못 사용했으면 ×표 하세요.

이 세제의 들이는 약 2 mL야.

세제   태연

(   )

4 대화를 보고 순서에 따라 반지름이 1 cm인 원을 그려 보세요.

 점 ㅇ이 원의 중심인 원을 그릴 거야.

우선 컴퍼스를 1 cm만큼 벌리고

 컴퍼스의 침을 점 ㅇ에 꽂고 원을 그리면 돼.

ㅇ

5 □ 안에 알맞은 수를 써넣으세요.

15를 5씩 묶으면 □ 묶음이 됩니다.

10은 15의 $\frac{□}{□}$ 입니다.

6 병에 음료수가 $1\frac{4}{9}$ L 들어 있습니다. 이 음료수는 몇 L인지 가분수로 나타내어 보세요.

(   )

9 주어진 모양을 그리기 위하여 컴퍼스의 침을 꽂아야 할 곳은 모두 몇 군데일까요?

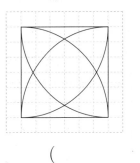

(   )

7 대야의 들이는 몇 L 몇 mL일까요?

2100 mL

(   )

10 12의 $\frac{1}{2}$, $\frac{5}{6}$만큼 되는 곳에 알맞은 글자를 찾아 ☐ 안에 써넣으세요.

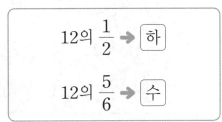

12의 $\frac{1}{2}$ ➡ 하

12의 $\frac{5}{6}$ ➡ 수

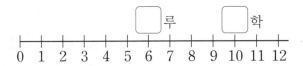

☐루   ☐학

0 1 2 3 4 5 6 7 8 9 10 11 12

8 두 분수의 크기를 비교하여 ◯ 안에 >, =, <를 알맞게 써넣으세요.

$3\frac{1}{6}$ ◯ $2\frac{5}{6}$

창의·융합·코딩

도둑이 고장 낸 계기판 수는?

창의1 달아난 도둑을 빠르게 쫓아가기 위해 탐정은 경비행기를 타러 갔습니다.

얼른 출발하자~
지금 바로 출발하면 늦지 않게 쫓아갈 수 있을 거야.

탐정님, 비행기의 계기판 10개 중에서 몇 개가 고장 났어요.

여기 쪽지가 있군!

비행기로는 날 쫓아오지 못할 거야. 계기판 전체의 $\frac{2}{5}$ 를 고장 냈거든! 푸하하! 따라올 테면 따라와 봐!

비행기의 계기판은 기계 장치들의 작동 상태를 알리는 판으로 속도, 기름의 양, 온도 등등 비행에 영향을 미치는 중요한 정보들을 알 수 있어요.

도둑이 고장 낸 계기판은 몇 개인 거지?

10개의 $\frac{2}{5}$ 는 ☐개야.

 답 _____

각자 산 우유의 양은?

  태호, 지현, 민주는 우유 200 mL, 300 mL, 500 mL 중 각자 다른 양의 우유를 샀습니다.

난 우유 200 mL는 모자라. 더 큰 것으로 살 거야.

난 우유 300 mL면 충분해.

난 우유 500 mL는 안 살 거야.

각자 우유 몇 mL를 샀는지 빈칸에 알맞게 써넣어 보세요.

 태호	 지현	 민주

[3~5] 보기와 같이 두 수를 묶어 색칠한 부분이 나타내는 분수를 만들어 보세요.

보기

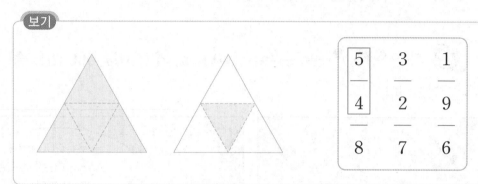

$$\frac{5}{4} \quad \frac{3}{2} \quad \frac{1}{9}$$

8   7   6

전체를 똑같이 4로 나눈 것 중의 1은 $\frac{1}{4}$, $\frac{1}{4}$이 5개이면 $\frac{5}{4}$야~

창의 3

$$\frac{2}{7} \quad \frac{1}{3} \quad \frac{4}{5}$$

6   8   9

창의 4

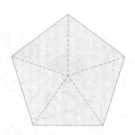
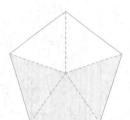

$$\frac{6}{3} \quad \frac{8}{5} \quad \frac{9}{4}$$

2   1   7

창의 5

$$\frac{4}{6} \quad \frac{2}{9} \quad \frac{5}{7}$$

1   8   3

융합 6 컴퍼스를 사용하여 다음 태극기의 태극 무늬를 그리려고 합니다. 컴퍼스의 침을 꽂아야 할 곳은 모두 몇 군데일까요?

답 _____

융합 7 옛날 들이의 단위에 대한 표를 보고 '1되'는 몇 L 몇 mL인지 구해 보세요.

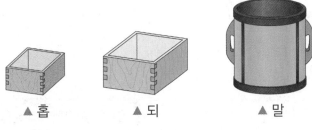

▲홉   ▲되   ▲말

옛날 들이의 단위	홉	되	말
들이	180 mL	1800 mL	18 L

답 _____

[8~9] 자동차가 명령에 따라 더 큰 분수를 찾으려고 합니다. 더 큰 분수를 찾도록 명령어의 빈 곳에 알맞은 수를 써넣으세요.

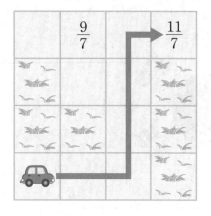

코딩 8

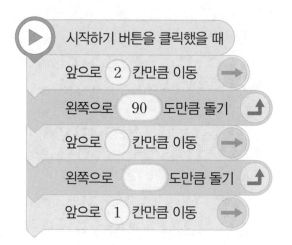

코딩 9

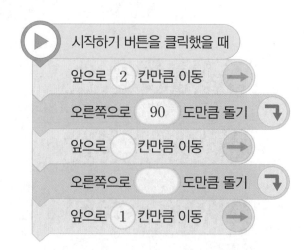

창의 10 수현이가 생활 계획표를 만들고 있습니다. 수현이가 하루에 자는 시간만큼 생활 계획표에 색칠해 보세요.

난 밤 10시부터 하루 24시간의 $\frac{1}{3}$만큼 잘 거야~

수현

생활 계획표

3주
특강

융합 11 사다리를 타고 내려가 ☐ 안에 알맞은 수를 써넣으세요.

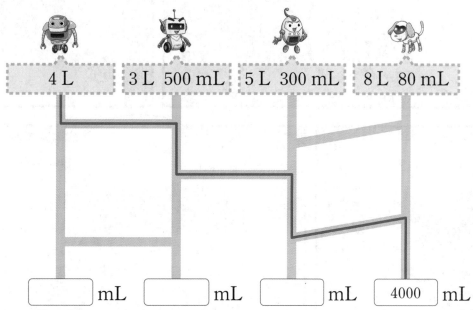

4 L   3 L 500 mL   5 L 300 mL   8 L 80 mL

☐ mL   ☐ mL   ☐ mL   4000 mL

들이와 무게 / 자료의 정리

1일 들이의 덧셈, 뺄셈   2일 무게의 단위, '몇 kg 몇 g'과 '몇 g'으로 나타내기
3일 무게의 덧셈, 뺄셈   4일 표 알아보기, 자료를 수집하여 표로 나타내기
5일 그림그래프, 그림그래프로 나타내기

솜 무게:
$4 \text{ kg } 300 \text{ g} = 4 \text{ kg} + 300 \text{ g}$
$= 4000 \text{ g} + 300 \text{ g}$
$= 4300 \text{ g}$

더 빨리 가자!
솜 4300 g이라서
저번보다 더 가벼워.

저번처럼 물에
빠지지 않게 조심해.

이번에도
물에 빠지면
가벼워지겠지!

가벼워져라!

아이쿠!
더 무거워졌잖아.

물 먹은 솜 무게:
8 kg 600 g

ㅋㅋㅋ
빠지지 않게
조심하라고
했잖아.

2-2 길이 재기

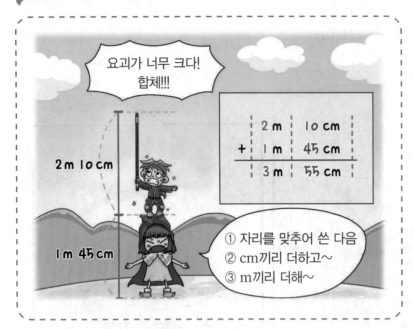

길이의 합을 계산할 때는
m는 m끼리, cm는 cm끼리
더해~

$$\begin{array}{r} 2\,\text{m}\ \ 10\,\text{cm} \\ +\ 1\,\text{m}\ \ 45\,\text{cm} \\ \hline 55\,\text{cm} \end{array} \rightarrow \begin{array}{r} 2\,\text{m}\ \ 10\,\text{cm} \\ +\ 1\,\text{m}\ \ 45\,\text{cm} \\ \hline 3\,\text{m}\ \ 55\,\text{cm} \end{array}$$

1-1 길이의 합을 구해 보세요.

$$\begin{array}{r} 3\,\text{m}\ \ 20\,\text{cm} \\ +\ 2\,\text{m}\ \ 10\,\text{cm} \\ \hline \end{array}$$

1-2 길이의 차를 구해 보세요.

$$\begin{array}{r} 5\,\text{m}\ \ 80\,\text{cm} \\ -\ 1\,\text{m}\ \ 40\,\text{cm} \\ \hline \end{array}$$

2-1 ☐ 안에 알맞은 수를 써넣으세요.

4 m 25 cm

+3 m 60 cm

☐ m ☐ cm

2-2 ☐ 안에 알맞은 수를 써넣으세요.

9 m 75 cm

−7 m 5 cm

☐ m ☐ cm

2-2 표와 그래프

그래프로 나타낼 때
○ 외에 ×, /, △ 등과 같은
모양으로 나타낼 수 있어~

그래프로 나타내면
가장 많은(적은) 항목을
한눈에 알 수 있어~

4주 1일

3-1 현주네 모둠 학생들이 읽은 책을 조사하여 표로 나타내었습니다. 표를 보고 ○를 이용하여 그래프로 나타내어 보세요.

읽은 책별 학생 수

책	위인전	시집	동화책	합계
학생 수(명)	5	3	2	10

읽은 책별 학생 수

5			
4			
3			
2			
1			
학생 수(명) \ 책	위인전	시집	동화책

3-2 진규네 모둠 학생들이 가고 싶은 산을 조사하여 표로 나타내었습니다. 표를 보고 ×를 이용하여 그래프로 나타내어 보세요.

가고 싶은 산별 학생 수

산	한라산	지리산	설악산	합계
학생 수(명)	3	4	5	12

가고 싶은 산별 학생 수

설악산					
지리산					
한라산					
산 \ 학생 수(명)	1	2	3	4	5

 교과서 기초 개념

• 들이의 덧셈

> L는 L끼리 더하고, mL는 mL끼리 더합니다.

예 1 L 200 mL＋1 L 300 mL의 계산

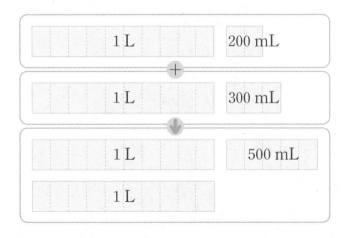

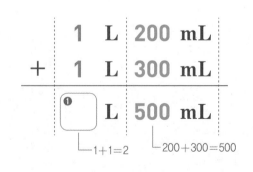

정답 ❶ 2

1-1 그림을 보고 ☐ 안에 알맞은 수를 써넣으세요.

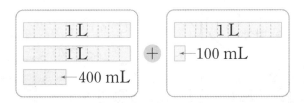

2 L 400 mL + 1 L 100 mL
= ☐ L ☐ mL

1-2 그림을 보고 ☐ 안에 알맞은 수를 써넣으세요.

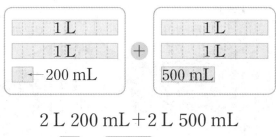

2 L 200 mL + 2 L 500 mL
= ☐ L ☐ mL

2-1 ☐ 안에 알맞은 수를 써넣으세요.

```
    4 L   200 mL
+   3 L   300 mL
─────────────────
  ☐ L  ☐ mL
```

2-2 ☐ 안에 알맞은 수를 써넣으세요.

```
    7 L   500 mL
+   1 L   400 mL
─────────────────
  ☐ L  ☐ mL
```

3-1 ☐ 안에 알맞은 수를 써넣으세요.

5 L 300 mL + 1 L 400 mL
= ☐ L ☐ mL

3-2 ☐ 안에 알맞은 수를 써넣으세요.

4 L 100 mL + 3 L 700 mL
= ☐ L ☐ mL

[**4-1 ~ 4-2**] 빈칸에 알맞은 들이는 몇 L 몇 mL인지 써넣으세요.

4-1

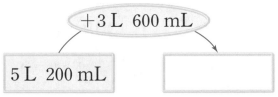

4-2

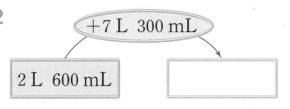

4주 1일

교과서 기초 개념

• 들이의 뺄셈

> **L는 L끼리** 빼고, **mL는 mL끼리** 뺍니다.

예 2 L 500 mL − 1 L 200 mL의 계산

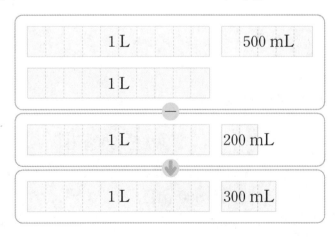

1 L	500 mL
1 L	

1 L	200 mL
1 L	300 mL

$$\begin{array}{r} 2\ \text{L}\ 500\ \text{mL} \\ -\ 1\ \text{L}\ 200\ \text{mL} \\ \hline \boxed{❶}\ \text{L}\ 300\ \text{mL} \end{array}$$

└ 2−1=1   └ 500−200=300

정답 ❶ 1

1-1 그림을 보고 ☐ 안에 알맞은 수를 써넣으세요.

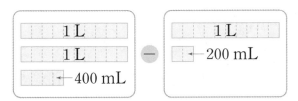

$$2\,L\;400\,mL - 1\,L\;200\,mL$$
$$= \boxed{}\,L\;\boxed{}\,mL$$

1-2 그림을 보고 ☐ 안에 알맞은 수를 써넣으세요.

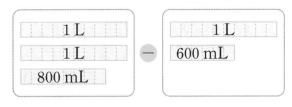

$$2\,L\;800\,mL - 1\,L\;600\,mL$$
$$= \boxed{}\,L\;\boxed{}\,mL$$

2-1 ☐ 안에 알맞은 수를 써넣으세요.

```
    6 L   900  mL
  − 2 L   500  mL
  ──────────────
    □ L   □    mL
```

2-2 ☐ 안에 알맞은 수를 써넣으세요.

```
    5 L   700  mL
  − 2 L   300  mL
  ──────────────
    □ L   □    mL
```

3-1 ☐ 안에 알맞은 수를 써넣으세요.

$$8\,L\;500\,mL - 5\,L\;100\,mL$$
$$= \boxed{}\,L\;\boxed{}\,mL$$

3-2 ☐ 안에 알맞은 수를 써넣으세요.

$$9\,L\;300\,mL - 4\,L\;200\,mL$$
$$= \boxed{}\,L\;\boxed{}\,mL$$

[**4-1** ~ **4-2**] 빈칸에 알맞은 들이는 몇 L 몇 mL인지 써넣으세요.

4-1 4 L 800 mL

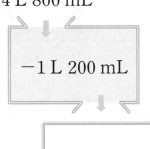

4-2 7 L 600 mL

기본 문제 연습

1-1 계산해 보세요.

(1)   1 L 400 mL
  + 2 L 500 mL

(2)   5 L 500 mL
  − 3 L 100 mL

1-2 계산해 보세요.

(1) 4 L 700 mL + 3 L 200 mL

(2) 6 L 600 mL − 2 L 300 mL

2-1 두 들이의 합은 몇 L 몇 mL인지 빈칸에 써넣으세요.

| 2 L 600 mL | 6 L 300 mL |

☐

2-2 두 들이의 차는 몇 L 몇 mL인지 빈칸에 써넣으세요.

| 5 L 700 mL | 2 L 400 mL |

☐

[**3-1 ~ 3-2**] ☐ 안에 알맞은 수를 써넣으세요.

3-1
2 L 700 mL   3 L 100 mL

☐ L ☐ mL

3-2
7 L 300 mL

3 L 200 mL   ☐ L ☐ mL

4-1 4 L 600 mL + 3 L 500 mL를 바르게 계산한 사람은 누구일까요?

준희
   4 L 600 mL
 + 3 L 500 mL
   7 L 100 mL

우석
   4 L 600 mL
 + 3 L 500 mL
   8 L 100 mL

(   )

4-2 3 L 100 mL − 1 L 400 mL를 바르게 계산한 사람은 누구일까요?

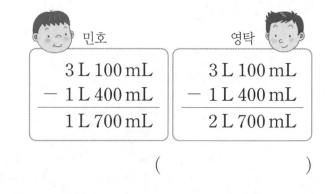

민호
   3 L 100 mL
 − 1 L 400 mL
   1 L 700 mL

영탁
   3 L 100 mL
 − 1 L 400 mL
   2 L 700 mL

(   )

연산 → 문장제 연습　들이의 덧셈과 뺄셈은 L는 L끼리, mL는 mL끼리 계산하자.

 두 들이의 합은 몇 L 몇 mL일까요?

1 L 600 mL　　1 L 200 mL

답 _____

 이 들이의 합은 어떤 상황에서 이용될까요?

5-1 은주는 우유를 어제는 1 L 600 mL, 오늘은 1 L 200 mL 마셨습니다. 은주가 어제와 오늘 마신 우유는 모두 몇 L 몇 mL일까요?

1 L 600 mL + □ L □ mL

식 ＝ □ L □ mL _____

답 _____

5-2 수현이가 어제와 오늘 마신 물의 양입니다. 수현이가 어제 마신 물은 오늘 마신 물보다 몇 L 몇 mL 더 많을까요?

| 어제 | 2 L 200 mL |
| 오늘 | 1 L 100 mL |

식 _____

답 _____

5-3 정훈이는 한 통에 1 L 900 mL인 세제를 2통 샀습니다. 정훈이가 산 세제는 모두 몇 L 몇 mL일까요?

식 _____

답 _____

 교과서 기초 개념

- **1 g, 1 kg, 1 t 알아보기**

> 무게의 단위에는 **그램, 킬로그램, 톤** 등이 있습니다.

쓰기	1 g	쓰기	1 kg	쓰기	1 t
읽기	1 그램	읽기	1 킬로그램	읽기	1 톤

➡ ❶□ kg = 1000 g   ➡ ❷□ t = 1000 kg

- **무게를 어림하고 재어 보기**

> 무게를 어림하여 말할 때는 **약** □ **g** 또는 **약** □ **kg**이라고 합니다.

정답 ❶ 1   ❷ 1

[**1**-1 ~ **1**-2] 주어진 무게의 단위를 사용하기에 적당한 물건을 찾아 써 보세요.

1-1

kg

모니터　　숟가락

(　　　　　　　　　)

1-2

g

수박　　　　귤

(　　　　　　　　　　)

2-1 무게를 써 보세요.

5 kg

2-2 무게를 써 보세요.

700 g

4주
2일

[**3**-1 ~ **3**-2] ☐ 안에 g, kg, t 중에서 알맞은 단위를 써넣으세요.

3-1 (1) 연필 한 자루의 무게는 약 5 ☐ 입니다.

(2) 돌고래 한 마리의 무게는
약 6400 ☐ 입니다.

3-2 (1) 우산 한 자루의 무게는 약 400 ☐ 입니다.

(2) 트럭 한 대의 무게는 약 2 ☐ 입니다.

4-1 저울의 눈금은 몇 g인지 읽어 보세요.

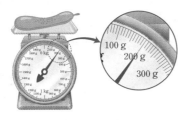

☐ g

4-2 저울의 눈금은 몇 kg인지 읽어 보세요.

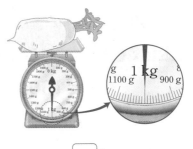

☐ kg

교과서 기초 개념

- **몇 kg 몇 g 알아보기**

  예 1 kg보다 400 g 더 무거운 무게

  쓰기 $1 \, \text{kg} \, 400 \, \text{g}$ 읽기 1 킬로그램 400 그램

- **'몇 kg 몇 g'을 '몇 g'으로 나타내기**

  예 1 kg 400 g을 몇 g으로 나타내기

  $$1 \, \text{kg} \, 400 \, \text{g} = 1 \, \text{kg} + 400 \, \text{g}$$
  $$= 1000 \, \text{g} + 400 \, \text{g}$$
  $$= \boxed{}^{❶} \, \text{g}$$

  1 kg=1000 g

정답 ❶ 1400

1-1 무게를 읽어 보세요.

> 3 kg 900 g

(   )

1-2 읽은 것을 보고 무게를 써 보세요.

> 5 킬로그램 300 그램

(   )

2-1 ☐ 안에 알맞은 수를 써넣으세요.

8 kg 200 g

= ☐ kg + 200 g

= ☐ g + 200 g

= ☐ g

2-2 ☐ 안에 알맞은 수를 써넣으세요.

9 kg 600 g

= ☐ kg + 600 g

= ☐ g + 600 g

= ☐ g

3-1 ☐ 안에 알맞은 수를 써넣으세요.

5800 g

= ☐ g + 800 g

= ☐ kg + 800 g

= ☐ kg ☐ g

3-2 ☐ 안에 알맞은 수를 써넣으세요.

7100 g

= ☐ g + 100 g

= ☐ kg + 100 g

= ☐ kg ☐ g

4주 2일

4-1 저울의 눈금을 각 단위에 알맞게 읽어 보세요.

☐ g

☐ kg ☐ g

4-2 저울의 눈금을 각 단위에 알맞게 읽어 보세요.

☐ g

☐ kg ☐ g

기초 집중 연습

 기본 문제 연습

[1-1 ~ 1-2] 보기에서 물건을 선택하여 문장을 완성해 보세요.

1-1 보기

| 사과   버스   냉장고 |

(1) [　　　　]의 무게는 약 90 kg입니다.

(2) [　　　　]의 무게는 약 200 g입니다.

1-2 보기

| 바둑돌   축구공   하마 |

(1) [　　　　]의 무게는 약 2 t입니다.

(2) [　　　　]의 무게는 약 4 g입니다.

2-1 관계있는 것끼리 이어 보세요.

5 kg	•		•	2500 그램
1 kg 100 g	•		•	5 킬로그램
2500 g	•		•	1 킬로그램 100 그램

2-2 관계있는 것끼리 이어 보세요.

8 kg	•		•	6400 그램
4 t	•		•	4 톤
6400 g	•		•	8 킬로그램

3-1 ☐ 안에 알맞은 수를 써넣으세요.

(1) 3 kg = [　　　] g

(2) 2 t = [　　　] kg

3-2 ☐ 안에 알맞은 수를 써넣으세요.

(1) 1 kg 900 g = [　　　] g

(2) 6700 g = [　] kg [　] g

[4-1 ~ 4-2] 무게를 비교하여 ◯ 안에 >, =, <를 알맞게 써넣으세요.

4-1 [4 kg 200 g] ◯ [4200 g]

4-2 [9400 g] ◯ [9 kg 40 g]

기초 → 문장제 연습 1 kg＝1000 g임을 이용하여 주어진 단위로 나타내자.

기초 □ 안에 알맞은 수를 써넣으세요.

7 kg 300 g ＝ ☐ g

이 무게는 어떤 상황에서 이용될까요?

5-1 지영이가 토마토를 7 kg 300 g 샀습니다. 지영이가 산 토마토의 무게는 몇 g일까요?

답 _____

5-2 윤수가 산 옥수수의 무게는 몇 kg 몇 g일까요?

난 옥수수를 2500 g 샀어.

윤수

답 _____

5-3 정민이는 헌 종이를 3 kg 400 g 모았습니다. 정민이가 모은 헌 종이의 무게는 몇 g일까요?

3 kg

답 _____

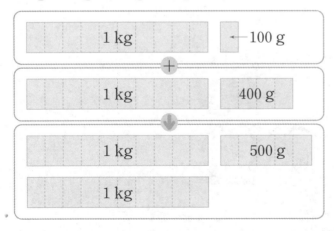

교과서 기초 개념

• 무게의 덧셈

kg은 kg끼리 더하고, g은 g끼리 더합니다.

예 1 kg 100 g＋1 kg 400 g의 계산

1 kg	← 100 g
+	
1 kg	400 g
↓	
1 kg	500 g
1 kg	

$$
\begin{array}{r|r|r}
 & 1 \text{ kg} & 100 \text{ g} \\
+ & 1 \text{ kg} & 400 \text{ g} \\
\hline
\textbf{❶} \text{ kg} & 500 \text{ g}
\end{array}
$$

└ 1＋1＝2   └ 100＋400＝500

정답 ❶ 2

1-1 그림을 보고 □ 안에 알맞은 수를 써넣으세요.

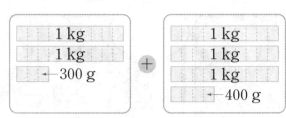

2 kg 300 g + 3 kg 400 g

= □ kg □ g

1-2 그림을 보고 □ 안에 알맞은 수를 써넣으세요.

2 kg 200 g + 1 kg 500 g

= □ kg □ g

2-1 □ 안에 알맞은 수를 써넣으세요.

```
    4  kg   200  g
 +  1  kg   600  g
 ──────────────────
    □ kg    □ g
```

2-2 □ 안에 알맞은 수를 써넣으세요.

```
    6  kg   100  g
 +  2  kg   300  g
 ──────────────────
    □ kg    □ g
```

3-1 □ 안에 알맞은 수를 써넣으세요.

3 kg 400 g + 6 kg 500 g

= □ kg □ g

3-2 □ 안에 알맞은 수를 써넣으세요.

5 kg 300 g + 1 kg 200 g

= □ kg □ g

[**4**-1 ~ **4**-2] 빈칸에 알맞은 무게는 몇 kg 몇 g인지 써넣으세요.

4-1 3 kg 200 g

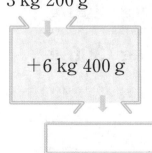

+6 kg 400 g

4-2 2 kg 500 g

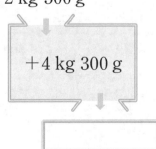

+4 kg 300 g

교과서 기초 개념

• 무게의 뺄셈

> **kg은 kg끼리** 빼고, **g은 g끼리** 뺍니다.

예 2 kg 500 g − 1 kg 200 g의 계산

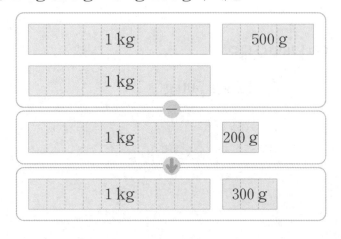

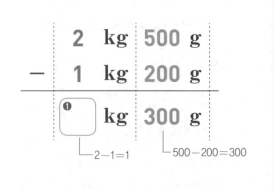

$$
\begin{array}{r|r|r}
 & 2 \ \text{kg} & 500 \ \text{g} \\
- & 1 \ \text{kg} & 200 \ \text{g} \\
\hline
❶ \quad \text{kg} & 300 \ \text{g}
\end{array}
$$

2−1=1　　500−200=300

1-1 그림을 보고 ☐ 안에 알맞은 수를 써넣으세요.

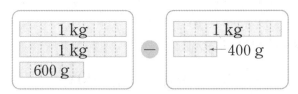

$$2\text{ kg }600\text{ g}-1\text{ kg }400\text{ g}$$
$$=\boxed{}\text{ kg }\boxed{}\text{ g}$$

1-2 그림을 보고 ☐ 안에 알맞은 수를 써넣으세요.

$$4\text{ kg }700\text{ g}-2\text{ kg }300\text{ g}$$
$$=\boxed{}\text{ kg }\boxed{}\text{ g}$$

2-1 ☐ 안에 알맞은 수를 써넣으세요.

$$
\begin{array}{r}
8\ \text{kg}\quad 900\ \text{g} \\
-\ 3\ \text{kg}\quad 600\ \text{g} \\
\hline
\boxed{}\ \text{kg}\quad\boxed{}\ \text{g}
\end{array}
$$

2-2 ☐ 안에 알맞은 수를 써넣으세요.

$$
\begin{array}{r}
6\ \text{kg}\quad 500\ \text{g} \\
-\ 2\ \text{kg}\quad 300\ \text{g} \\
\hline
\boxed{}\ \text{kg}\quad\boxed{}\ \text{g}
\end{array}
$$

3-1 ☐ 안에 알맞은 수를 써넣으세요.

$$7\text{ kg }600\text{ g}-3\text{ kg }200\text{ g}$$
$$=\boxed{}\text{ kg }\boxed{}\text{ g}$$

3-2 ☐ 안에 알맞은 수를 써넣으세요.

$$5\text{ kg }700\text{ g}-2\text{ kg }100\text{ g}$$
$$=\boxed{}\text{ kg }\boxed{}\text{ g}$$

[**4**-1 ~ **4**-2] 빈칸에 알맞은 무게는 몇 kg 몇 g인지 써넣으세요.

4-1

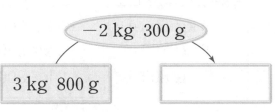

4-2

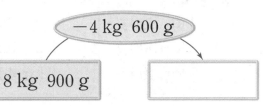

기초 집중 연습

1-1 계산해 보세요.

(1)   6 kg 200 g
    + 2 kg 400 g

(2)   5 kg 700 g
    − 1 kg 600 g

1-2 계산해 보세요.

(1) 2 kg 500 g + 4 kg 300 g

(2) 8 kg 400 g − 3 kg 200 g

2-1 두 무게의 합은 몇 kg 몇 g인지 빈칸에 써넣으세요.

3 kg 700 g	2 kg 100 g

2-2 두 무게의 차는 몇 kg 몇 g인지 빈칸에 써넣으세요.

7 kg 600 g	5 kg 400 g

3-1 ☐ 안에 알맞은 수를 써넣으세요.

4 kg 300 g   4 kg 400 g

☐ kg   ☐ g

3-2 ☐ 안에 알맞은 수를 써넣으세요.

6 kg 800 g

4 kg 300 g   ☐ kg ☐ g

4-1 4 kg 900 g + 3 kg 500 g을 바르게 계산한 사람은 누구일까요?

민하
4 kg 900 g
+ 3 kg 500 g
7 kg 400 g

수현
4 kg 900 g
+ 3 kg 500 g
8 kg 400 g

(   )

4-2 5 kg 600 g − 2 kg 800 g을 바르게 계산한 사람은 누구일까요?

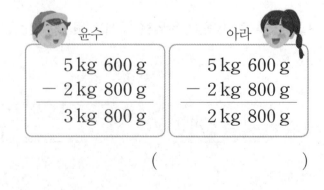

윤수
5 kg 600 g
− 2 kg 800 g
3 kg 800 g

아라
5 kg 600 g
− 2 kg 800 g
2 kg 800 g

(   )

▶정답 및 풀이 25쪽

연산 → 문장제 연습 무게의 덧셈과 뺄셈은 kg은 kg끼리, g은 g끼리 계산하자.

 두 무게의 합은 몇 kg 몇 g일까요?

| 3 kg 500 g | 4 kg 300 g |

답 _____

이 무게의 합은
어떤 상황에서 이용될까요?

5-1 고구마를 주호는 3 kg 500 g 캤고, 태희는 4 kg 300 g 캤습니다. 두 사람이 캔 고구마의 무게는 모두 몇 kg 몇 g일까요?

3 kg 500 g + ☐ kg ☐ g

식 = ☐ kg ☐ g

답 _____

5-2 책이 들어 있는 가방의 무게는 2 kg 400 g입니다. 이 가방에서 무게가 1 kg 300 g인 책을 꺼냈다면 가방의 무게는 몇 kg 몇 g일까요?

식 _____

답 _____

4주
3일

5-3 밀가루 1봉지의 무게는 1 kg 500 g입니다. 똑같은 밀가루 2봉지의 무게는 몇 kg일까요?

식 _____

답 _____

교과서 기초 개념

• 표를 보고 내용 알아보기

예 진호네 반 학생들이 가고 싶은 산을 조사하여 나타낸 표 알아보기

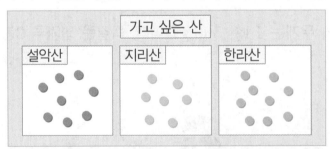

가고 싶은 산별 학생 수

산	설악산	지리산	한라산	합계
학생 수(명)	8	7	9	24

조사한 학생 수

(1) **가장 많은** 학생이 가고 싶은 산: 한라산

(2) **가장 적은** 학생이 가고 싶은 산:

❶ 　　　　　　　　　

정답　❶ 지리산

[1-1 ~ 4-1] 주희네 반 학생들이 좋아하는 꽃을 조사하여 나타낸 표입니다. 물음에 답하세요.

좋아하는 꽃별 학생 수

꽃	국화	장미	튤립	합계
학생 수(명)	5	7	2	14

1-1 조사한 학생은 모두 몇 명일까요?

(　　　　)

2-1 국화를 좋아하는 학생은 몇 명일까요?

(　　　　)

3-1 가장 많은 학생이 좋아하는 꽃은 무엇일까요?

(　　　　)

4-1 가장 적은 학생이 좋아하는 꽃은 무엇일까요?

(　　　　)

[1-2 ~ 4-2] 지훈이가 모은 학용품의 수를 조사하여 나타낸 표입니다. 물음에 답하세요.

지훈이가 모은 학용품의 수

종류	자	가위	지우개	합계
학용품의 수(개)	4	3	5	12

1-2 지훈이가 모은 학용품은 모두 몇 개일까요?

(　　　　)

2-2 지훈이가 모은 자는 몇 개일까요?

(　　　　)

3-2 지훈이가 가장 많이 모은 학용품은 무엇일까요?

(　　　　)

4-2 지훈이가 가장 적게 모은 학용품은 무엇일까요?

(　　　　)

4주
4일

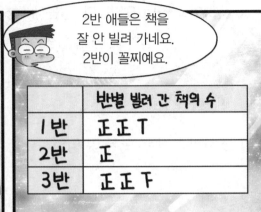

교과서 기초 개념

• **자료를 수집하여 표로 나타내기**

조사할 내용 정하기

⬇

자료 수집하기

⬇

조사한 결과를 표로 나타내기

예 초희네 반 학생들이 좋아하는 운동을 조사하여 표로 나타내기

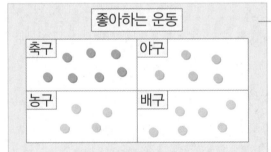

붙임딱지 붙이기 방법

좋아하는 운동별 학생 수

운동	축구	야구	농구	배구	합계
학생 수(명)	7	❶	4	6	22

정답 ❶ 5

[1-1 ~ 2-1] 정수네 반 학생들이 좋아하는 과목을 조사하여 나타낸 것입니다. 물음에 답하세요.

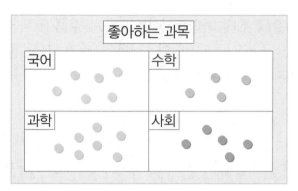

좋아하는 과목

국어	수학
과학	사회

1-1 무엇을 조사한 것인지 찾아 ○표 하세요.

(좋아하는 과목 , 잘하는 과목)

2-1 조사한 자료를 보고 표를 완성해 보세요.

좋아하는 과목별 학생 수

과목	국어	수학	과학	사회	합계
학생 수(명)	6				22

[1-2 ~ 2-2] 과일 가게에 있는 과일을 보고 물음에 답하세요.

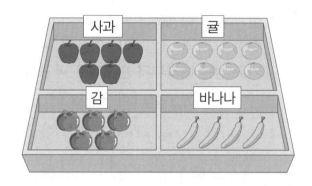

1-2 무엇을 조사한 것인지 찾아 ○표 하세요.

(좋아하는 과일 , 과일 가게에 있는 과일)

2-2 조사한 자료를 보고 표를 완성해 보세요.

종류별 과일 수

종류	사과	귤	감	바나나	합계
과일 수(개)	6				23

3-1 영선이네 반 학생들이 배우고 싶은 악기를 조사하여 나타낸 것입니다. 조사한 자료를 보고 표를 완성해 보세요.

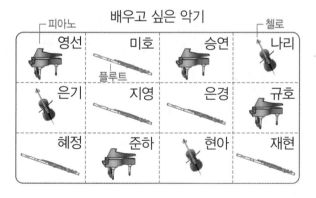

배우고 싶은 악기

피아노 / 플루트 / 첼로

영선	미호	승연	나리
은기	지영	은경	규호
혜정	준하	현아	재현

배우고 싶은 악기별 학생 수

악기	피아노	플루트	첼로	합계
학생 수(명)	4			12

3-2 미나네 반 학생들의 혈액형을 조사하여 나타낸 것입니다. 조사한 자료를 보고 표를 완성해 보세요.

혈액형

미나 B형	지우 A형	호진 AB형	상우 O형
지혜 A형	민정 B형	은하 O형	정민 A형
민수 AB형	은주 O형	소현 B형	연경 A형

혈액형별 학생 수

혈액형	A형	B형	O형	AB형	합계
학생 수(명)	4				12

🐜 **기본 문제** 연습

1-1 한서네 반 학생들이 가고 싶은 나라를 조사하여 나타낸 표입니다. 가장 적은 학생이 가고 싶은 나라부터 순서대로 써 보세요.

가고 싶은 나라별 학생 수

나라	중국	미국	캐나다	합계
학생 수(명)	8	11	6	25

(   )

1-2 주호네 아파트 동별 자동차 수를 조사하여 나타낸 표입니다. 자동차 수가 가장 많은 동부터 순서대로 써 보세요.

동별 자동차 수

동	1동	2동	3동	합계
자동차 수(대)	18	17	25	60

(   )

[**2**-1 ~ **3**-1] 민수네 반 학생들이 좋아하는 민속놀이를 조사하여 나타낸 것입니다. 물음에 답하세요.

좋아하는 민속놀이

윷놀이	널뛰기	연날리기

2-1 조사한 자료를 보고 표로 나타내어 보세요.

좋아하는 민속놀이별 학생 수

민속놀이	윷놀이	널뛰기	연날리기	합계
학생 수(명)				

[**2**-2 ~ **3**-2] 진영이네 반 학생들이 태어난 계절을 조사하여 나타낸 것입니다. 물음에 답하세요.

태어난 계절

봄	여름	가을	겨울

봄: 3~5월, 여름: 6~8월, 가을: 9~11월, 겨울: 12~2월

2-2 조사한 자료를 보고 표로 나타내어 보세요.

태어난 계절별 학생 수

계절	봄	여름	가을	겨울	합계
학생 수(명)					

3-1 가장 많은 학생이 좋아하는 민속놀이는 무엇이고, 몇 명인지 구해 보세요.

(   ), (   )

3-2 가장 적은 학생이 태어난 계절은 언제이고, 몇 명인지 구해 보세요.

(   ), (   )

기초 → 문장제 연습 '더 많은지(더 적은지)'를 구할 때는 뺄셈으로 구하자.

기초 민호네 마을의 목장에서 오늘 생산한 우유의 양을 조사하여 나타낸 표입니다. ☐ 안에 알맞은 수를 써넣으세요.

목장별 우유 생산량

목장	가	나	다	합계
생산량(kg)	24	45	31	100

┌ 나 목장의 우유 생산량: ☐ kg
└ 다 목장의 우유 생산량: ☐ kg

4-1 기초 의 표에서 나 목장의 우유 생산량은 다 목장의 우유 생산량보다 몇 kg 더 많을까요?

식 ☐ – ☐ = ☐

답

4-2 마을별 가로등 수를 조사하여 나타낸 표입니다. 가 마을의 가로등은 라 마을의 가로등보다 몇 개 더 적을까요?

마을별 가로등 수

마을	가	나	다	라	합계
가로등 수(개)	29	20	11	40	100

식

답

4-3 한 달 동안 지현이네 모둠 학생들이 접은 종이별 수를 조사하여 나타낸 표입니다. 연아가 접은 종이별과 희주가 접은 종이별 수의 차는 몇 개일까요?

학생별 접은 종이별 수

이름	지현	연아	희주	대준	합계
종이별 수(개)	80	65	91	64	300

식

답

교과서 기초 개념

• 그림그래프 알아보기

> 알려고 하는 수(조사한 수)를 그림으로 나타낸 그래프를 그림그래프라고 합니다.

예   좋아하는 색깔별 학생 수

색깔	학생 수
빨간색	
파란색	
노란색	

└→ 노란색을 좋아하는 학생 수 : 12명

 10명
1명

└→ 학생 수를 나타내는 그림

(1) ♟은 10명, ♟은 1명을 나타냅니다.

(2) 가장 많은 학생이 좋아하는 색깔:

    ❶ [   ]

└→ 큰 그림이 가장 많은 색을 찾습니다.

정답 ❶ 파란색

[1-1 ~ 4-1] 재석이네 마을의 목장에서 기르는 돼지 수를 조사하여 나타낸 그림그래프입니다. 물음에 답하세요.

목장별 기르는 돼지 수

목장	돼지 수
가	🐷 🐷 🐷
나	🐷 🐷 🐷 🐷
다	🐷 🐷 🐷 🐷 🐷 🐷

🐷 10마리
🐖 1마리

1-1 알맞은 말에 ◯표 하세요.

목장별 기르는 돼지 수를 (돼지 , 목장) 모양으로 나타내었습니다.

2-1 🐷과 🐖은 각각 몇 마리를 나타내나요?

🐷: ☐마리, 🐖: ☐마리

3-1 나 목장에서 기르는 돼지는 몇 마리일까요?

(   )

4-1 가장 많은 돼지를 기르는 목장은 어느 목장일까요?

(   )

[1-2 ~ 4-2] 준희네 모둠 학생들이 농장에서 딴 감의 수를 조사하여 나타낸 그림그래프입니다. 물음에 답하세요.

학생별 딴 감의 수

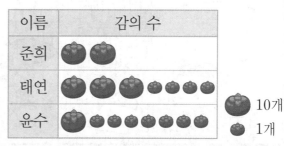

10개
1개

1-2 알맞은 말에 ◯표 하세요.

학생별 딴 감의 수를 (감 , 사람) 모양으로 나타내었습니다.

2-2 🔵과 🔴은 각각 몇 개를 나타내나요?

🔵: ☐개, 🔴: ☐개

3-2 윤수가 딴 감은 몇 개일까요?

(   )

4-2 감을 가장 많이 딴 학생은 누구일까요?

(   )

🐹 **교과서 기초 개념**

• **표를 보고 그림그래프로 나타내기**

| 그림을 몇 가지로 나타낼지 정하기 | ➡ | 어떤 그림으로 나타낼지 정하기 | ➡ | 항목과 조사한 수를 확인하여 그림그래프로 나타내기 |

예)

마을별 자전거 수

마을	바다	햇빛	솔길	합계
자전거 수(대)	19	27	24	70

마을별 자전거 수

마을	자전거 수
바다	◎○○○○○○○○○
햇빛	◎◎○○○○○○○
❶	◎◎○○○○

◎ 10대
○ 1대

정답   ❶ 솔길

[1-1 ~ 3-1] 농장별 오리의 수를 조사하여 나타낸 표를 보고 그림그래프로 나타내려고 합니다. 물음에 답하세요.

농장별 오리의 수

농장	가	나	다	합계
오리의 수(마리)	43	32	50	125

1-1 오리의 수를 △과 ▲으로 하여 그림그래프로 나타내려고 합니다. 단위를 알맞게 짝 지은 것에 ○표 하세요.

△ 10마리 ▲ 1마리	△ 100마리 ▲ 10마리
( )	( )

2-1 △은 10마리, ▲은 1마리를 나타낸다면 나 농장의 오리의 수는 △과 ▲을 각각 몇 개씩 그려야 할까요?

△: ☐개, ▲: ☐개

3-1 표를 보고 그림그래프를 완성해 보세요.

농장별 오리의 수

농장	오리의 수
가	△ △ △ △ ▲ ▲ ▲
나	
다	

△ 10마리
▲ 1마리

[1-2 ~ 3-2] 어느 가게의 하루 동안 곡식별 판매량을 조사하여 나타낸 표를 보고 그림그래프로 나타내려고 합니다. 물음에 답하세요.

곡식별 판매량

곡식	쌀	보리	콩	합계
판매량(kg)	260	170	110	540

1-2 판매량을 ◎과 ○으로 하여 그림그래프로 나타내려고 합니다. 단위를 알맞게 짝 지은 것에 ○표 하세요.

◎ 10 kg ○ 1 kg	◎ 100 kg ○ 10 kg
( )	( )

2-2 ◎은 100 kg, ○은 10 kg을 나타낸다면 보리의 판매량은 ◎과 ○을 각각 몇 개씩 그려야 할까요?

◎: ☐개, ○: ☐개

3-2 표를 보고 그림그래프를 완성해 보세요.

곡식별 판매량

곡식	판매량
쌀	◎ ◎ ○ ○ ○ ○ ○ ○
보리	
콩	

◎ 100 kg
○ 10 kg

4주
5일

기초 집중 연습

 기본 문제 연습

1-1 마을별 자동차 수를 조사하여 나타낸 그림그래프입니다. 다 마을의 자동차는 몇 대일까요?

마을별 자동차 수

마을	자동차 수
가	🚗🚗🚗🚗
나	🚗🚗🚗🚗
다	🚗🚗🚗🚗🚗

🚗 10대
🚗 1대

( )

1-2 농장별 딸기 생산량을 조사하여 나타낸 그림그래프입니다. 하늘 농장의 딸기 생산량은 몇 kg일까요?

농장별 딸기 생산량

농장	생산량
소리	🍓🍓🍓🍓🍓🍓
하늘	🍓🍓🍓🍓🍓🍓🍓
들판	🍓🍓🍓

🍓 100 kg
🍓 10 kg

( )

[2-1 ~ 3-1] 반별 안경을 쓴 학생 수를 조사하여 나타낸 표입니다. 표를 보고 두 가지 그림그래프로 나타내어 보세요.

반별 안경을 쓴 학생 수

반	1반	2반	3반	합계
학생 수(명)	16	21	9	46

2-1 반별 안경을 쓴 학생 수

반	학생 수
1반	
2반	
3반	

◎ 10명
○ 1명

3-1 반별 안경을 쓴 학생 수

반	학생 수
1반	
2반	
3반	

◎ 10명
△ 5명
○ 1명

[2-2 ~ 3-2] 모둠별로 모은 우표의 수를 조사하여 나타낸 표입니다. 표를 보고 두 가지 그림그래프로 나타내어 보세요.

모둠별 모은 우표의 수

모둠	가	나	다	합계
우표의 수(장)	35	28	42	105

2-2 모둠별 모은 우표의 수

모둠	우표의 수
가	
나	
다	

□ 10장
□ 1장

3-2 모둠별 모은 우표의 수

모둠	우표의 수
가	
나	
다	

□ 10장
△ 5장
□ 1장

기초 → 기본 연습　그림그래프에서 가장 많은(적은) 것부터 알아볼 때는 큰 그림의 개수부터 비교하자.

기초 오른쪽은 현아네 모둠 학생들이 1년 동안 읽은 책의 수를 조사하여 나타낸 그림그래프입니다. 학생들이 읽은 책의 수는 각각 몇 권일까요?

현아: ◻ 권, 예진: ◻ 권, 정훈: ◻ 권

학생별 읽은 책의 수

이름	책의 수
현아	📕📕📘📘📘📘📘📘📘📘
예진	📕📕
정훈	📕📘📘📘📘📘

📕10권
📘1권

4-1 **기초** 의 그림그래프를 보고 책을 가장 많이 읽은 학생부터 순서대로 써 보세요.

답 _____

4-2 오른쪽은 목장별 우유 생산량을 조사하여 나타낸 그림그래프입니다. 우유 생산량이 가장 적은 목장부터 순서대로 써 보세요.

답 _____

목장별 우유 생산량

목장	생산량
가	🍼🍼🍼🍼🍼🍼🍼🍼🍼🍼
나	🍼🍼🍼🍼🍼🍼
다	🍼🍼🍼🍼🍼🍼🍼

🍼10 L
🍼1 L

4-3 어느 가게의 주별 아이스크림 판매량을 조사하여 나타낸 그림그래프입니다. 바르게 설명한 사람의 이름을 써 보세요.

윤수
아이스크림을 가장 많이 판매한 주는 3주야~

아라
아이스크림을 가장 적게 판매한 주는 1주야~

주별 아이스크림 판매량

주	판매량
1주	🍦🍦🍦
2주	🍦🍦🍦🍦🍦
3주	🍦🍦🍦🍦🍦🍦🍦

🍦10상자
🍦1상자

답 _____

누구나 **100점** 맞는 **테스트**

1 ☐ 안에 알맞은 수를 써넣으세요.

$$7500 \text{ g} = \boxed{} \text{ kg} \boxed{} \text{ g}$$

2 ☐ 안에 알맞은 수를 써넣으세요.

$$\begin{array}{r} 2 \text{ L} \quad 300 \text{ mL} \\ + \ 5 \text{ L} \quad 600 \text{ mL} \\ \hline \boxed{} \text{ L} \ \boxed{} \text{ mL} \end{array}$$

3 무게의 단위를 알맞게 사용한 사람은 누구일까요?

수박의 무게는 약 5 kg이야.

수박의 무게는 약 5 t이야.

민호

수현

(   )

[4~5] 반별 우유를 먹는 학생 수를 조사하여 나타낸 표입니다. 물음에 답하세요.

반별 우유를 먹는 학생 수

반	1반	2반	3반	합계
학생 수(명)	17	23	30	70

4 표를 보고 그림그래프로 나타내어 보세요.

반별 우유를 먹는 학생 수

반	학생 수
1반	
2반	
3반	

☐ 10명
○ 1명

5 반별 우유를 먹는 학생 수를 한눈에 비교하는 데 표와 그림그래프 중에서 어느 것이 더 편리할까요?

(   )

6 ☐ 안에 알맞은 수를 써넣으세요.

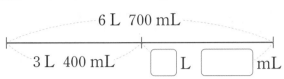

3 L 400 mL   ☐ L ☐ mL

[7~8] 정우네 반 학생들이 좋아하는 과일을 조사하여 나타낸 표입니다. 물음에 답하세요.

좋아하는 과일별 학생 수

과일	사과	포도	수박	딸기	합계
학생 수(명)	4	7	3	6	20

7 가장 적은 학생이 좋아하는 과일은 무엇일까요?

(   )

8 표를 보고 바르게 설명한 사람은 누구일까요?

포도를 좋아하는 학생은 4명이야.

가장 많은 학생이 좋아하는 과일은 포도야.

정우   우석

(   )

9 두 가방의 무게의 차는 몇 kg 몇 g일까요?

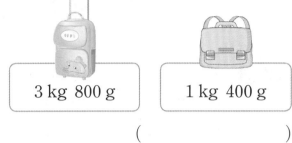

3 kg 800 g   1 kg 400 g

(   )

10 고구마를 승원이는 2 kg 300 g, 수영이는 2 kg 500 g 캤습니다. 두 사람이 캔 고구마의 무게는 모두 몇 kg 몇 g일까요?

식 _____

답 _____

창의·융합·코딩

상형문자가 몇 개인지 세어 보자!

 비밀 요원 지우와 찬호가 미션을 해결하기 위해 이집트로 갔습니다.

 위의 마지막 그림에서 손전등에 비치는
상형문자의 수를 세어 표를 완성해 보세요.

상형문자							합계
문자의 수(개)	2						9

▶ 정답 및 풀이 28쪽

누구의 가방이 가장 무거울까?

창의 **2** 선혜, 우진, 희찬이가 가방의 무게를 재었습니다.

 가장 무거운 가방을 가지고 있는 사람은 누구인지 구해 보세요.

답 _____

융합 3 우리나라 도별 국보 수를 조사하여 나타낸 그림그래프입니다. 경상도의 국보는 몇 건일까요?

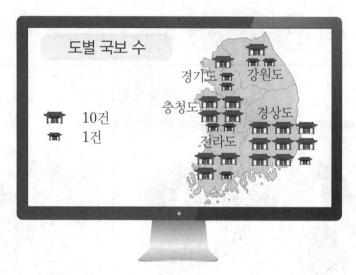

답 _____

융합 4 지윤이네 반 학생들이 하고 싶은 장기자랑을 조사한 것입니다. 조사한 것을 보고 표로 나타내어 보세요.

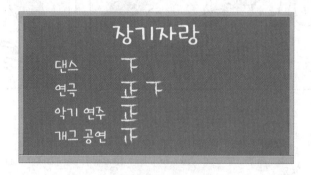

장기자랑별 학생 수

장기자랑	댄스	연극	악기 연주	개그 공연	합계
학생 수(명)					20

융합 5 사다리를 따라 내려가서 만나는 빈칸에 g, kg, t 중에서 각 물건의 무게를 나타내기에 알맞은 무게의 단위를 써넣으세요.

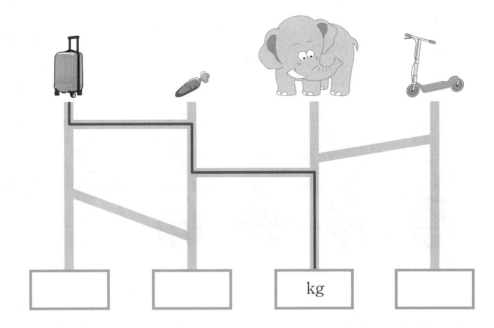

		kg	

코딩 6 다음 순서도의 '시작'에 3100 g을 넣었을 때 나오는 무게를 구해 보세요.

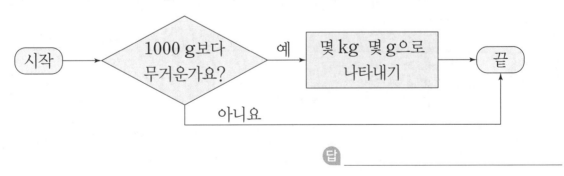

답 _____

[7~10] 주어진 김치의 무게의 덧셈과 뺄셈을 해 보세요.

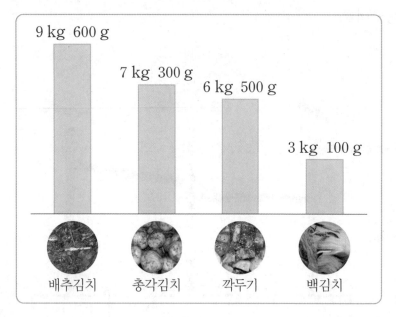

9 kg 600 g

7 kg 300 g

6 kg 500 g

3 kg 100 g

배추김치   총각김치   깍두기   백김치

예 │ 배추김치＋총각김치

식 9 kg 600 g＋7 kg 300 g
＝16 kg 900 g

답 16 kg 900 g

창의 7

배추김치＋백김치

식 _____

답 _____

창의 8

총각김치＋깍두기

식 _____

답 _____

창의 9

배추김치－깍두기

식 _____

답 _____

창의 10

깍두기－백김치

식 _____

답 _____

융합 **11** 혈액의 구성 성분을 보고 혈액이 4 L 600 mL, 혈구가 2 L 70 mL일 때 혈장은 몇 L 몇 mL 인지 구해 보세요.

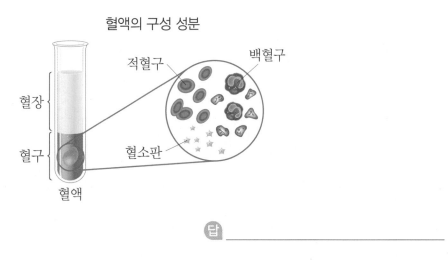

혈액의 구성 성분

혈장

혈구

적혈구

백혈구

혈소판

혈액

답 _____

4주

특강

코딩 **12** 왼쪽 명령에 따라 빈 대야에 물을 가득 담았습니다. 들이가 1 L 300 mL인 병에 물을 가득 담아 대야에 부었더니 물이 넘치지 않고 가득 찼다면 대야의 들이는 몇 L 몇 mL일까요?

▶ 시작하기 버튼을 클릭했을 때

3 번 반복하기

병에 물을 가득 담는다.

병에 있는 물을 대야에 모두 붓는다.

▲병   ▲대야

답 _____

MEMO

초등 문해력
독해가 힘이다
문장제 수학편

🔍 문해력을 키우면 정답이 보인다

초등 문해력 독해가 힘이다
문장제 수학편 (초등 1~6학년 / 단계별)

짧은 문장 연습부터 긴 문장 연습까지 문장을 읽고 이해하며 해결하는 연습을 하여
수학 문해력을 길러주는 문장제 연습 교재

정답 및 풀이
포인트 3가지

▶ OX퀴즈로 쉬어가며 개념 확인

▶ 혼자서도 이해할 수 있는 문제 풀이

▶ 참고, 주의 등 자세한 풀이 제시

정답 및 풀이

1주 · 곱셈 / 나눗셈

✲ 개념 ○✕ 퀴즈

옳으면 ○에, 틀리면 ✕에 ○표 하세요.

 퀴즈 1

$3 \times 32 = 69$

○   ✕

 퀴즈 2

80을 8로 나누면 몫은 10이야.

○   ✕

정답은 7쪽에서 확인하세요.

6~7쪽   1주에는 무엇을 공부할까?②

1-1
$$\begin{array}{r} \overset{1}{2}\,9 \\ \times \quad 2 \\ \hline 5\,8 \end{array}$$

1-2
$$\begin{array}{r} \overset{2}{5}\,6 \\ \times \quad 4 \\ \hline 2\,2\,4 \end{array}$$

2-1 (위에서부터) 63, 189

2-2 (위에서부터) 230, 92

3-1 $8 \div 4 = 2$ **3-2** $20 \div 5 = 4$

4-1 8   **4-2** (1) 7 (2) 9

2-1
$$\begin{array}{r} 2\,1 \\ \times \quad 3 \\ \hline 6\,3 \end{array}, \quad \begin{array}{r} 2\,1 \\ \times \quad 9 \\ \hline 1\,8\,9 \end{array}$$

2-2
$$\begin{array}{r} \overset{3}{4}\,6 \\ \times \quad 5 \\ \hline 2\,3\,0 \end{array}, \quad \begin{array}{r} \overset{1}{4}\,6 \\ \times \quad 2 \\ \hline 9\,2 \end{array}$$

3-1 8에서 4를 2번 빼면 0이 됩니다. ➡ $8 \div 4 = 2$

3-2 20에서 5를 4번 빼면 0이 됩니다. ➡ $20 \div 5 = 4$

4-1 9단 곱셈구구 중에서 한 곳을 골라 72와 만나는 수를 찾으면 8입니다. ➡ $72 \div 9 = 8$

4-2 (1) 6단 곱셈구구 중에서 한 곳을 골라 42와 만나는 수를 찾으면 7입니다. ➡ $42 \div 6 = 7$

(2) 7단 곱셈구구 중에서 한 곳을 골라 63과 만나는 수를 찾으면 9입니다. ➡ $63 \div 7 = 9$

9쪽   개념 · 원리 확인

1-1 426   **1-2** 2, 268

2-1 (1) 428 (2) 936   **2-2** (1) 339 (2) 804

3-1 (1) 390 (2) 602   **3-2** 468

4-1 | 242 | 484 | 424 | **4-2** | 628 | 426 | 826 |

3-1 (1)
$$\begin{array}{r} 1\,3\,0 \\ \times \quad\; 3 \\ \hline 3\,9\,0 \end{array}$$
(2)
$$\begin{array}{r} 3\,0\,1 \\ \times \quad\; 2 \\ \hline 6\,0\,2 \end{array}$$

3-2
$$\begin{array}{r} 2\,3\,4 \\ \times \quad\; 2 \\ \hline 4\,6\,8 \end{array}$$

4-1
$$\begin{array}{r} 1\,2\,1 \\ \times \quad\; 4 \\ \hline 4\,8\,4 \end{array}$$

4-2
$$\begin{array}{r} 4\,1\,3 \\ \times \quad\; 2 \\ \hline 8\,2\,6 \end{array}$$

11쪽   개념 · 원리 확인

1-1 252   **1-2** 137, 274

2-1 (왼쪽부터) 60, 687 / 3, 200

2-2 (왼쪽부터) 800, 834 / 10

3-1 978   **3-2** 498

4-1
$$\begin{array}{r} \overset{1}{4}\,2\,7 \\ \times \quad\; 2 \\ \hline 8\,5\,4 \end{array}$$

4-2 (1)
$$\begin{array}{r} \overset{3}{2}\,0\,8 \\ \times \quad\; 4 \\ \hline 8\,3\,2 \end{array}$$
(2)
$$\begin{array}{r} \overset{3}{1}\,1\,7 \\ \times \quad\; 5 \\ \hline 5\,8\,5 \end{array}$$

정답

풀이

3-1

```
      1
    3 2 6
  ×     3
  ───────
    9 7 8
```

3-2

```
          1
        2 4 9
  ×         2
  ───────────
        4 9 8
```

4-1 일의 자리 7에 2를 곱하면 14이므로 10을 십의 자리로 올림하여 계산합니다.

4-2 (1) 일의 자리 8에 4를 곱하면 32이므로 30을 십의 자리로 올림하여 계산합니다.
(2) 일의 자리 7에 5를 곱하면 35이므로 30을 십의 자리로 올림하여 계산합니다.

12~13쪽	기초 집중 연습

1-1 969 **1-2** 838

2-1
```
        1
      3 0 4
  ×       3
  ─────────
      9 1 2
```

2-2
```
          1
        2 3 5
  ×         2
  ───────────
        4 7 0
```

3-1 448 **3-2** 674

4-1 ㉠ **4-2** >

연산 360

5-1 120×3=360, 360개
5-2 116×5=580, 580장
5-3 223×4=892, 892개

1-2
```
    3 2 3
  ×     3
  ───────
    9 6 9
```

1-2
```
        1
      4 1 9
  ×       2
  ─────────
      8 3 8
```

2-1 일의 자리 4에 3을 곱하면 12이므로 10을 십의 자리로 올림하여 계산합니다.

2-2 일의 자리 5에 2를 곱하면 10이므로 10을 십의 자리로 올림하여 계산합니다.

3-1 112의 4배 ➡ 112×4=448

> 참고
> ■의 ▲배 ➡ ■×▲

3-2 337의 2배 ➡ 337×2=674

4-1 ㉠ 421×2=842 ➡ 842>840

4-2 313×3=939 ➡ 941>939

연산 120×3=360

5-1 (3상자에 들어 있는 방울토마토 수)
=(한 상자에 들어 있는 방울토마토 수)×(상자 수)
=120×3=360(개)

5-2 (5묶음의 색종이 수)
=(한 묶음의 색종이 수)×(묶음 수)
=116×5=580(장)

5-3 (4상자에 들어 있는 땅콩 수)
=(한 상자에 들어 있는 땅콩 수)×(상자 수)
=223×4=892(개)

15쪽	개념 · 원리 확인

1-1 80×2에 ◯표 **1-2** 200×3에 ◯표
2-1 (왼쪽부터) 180, 789 / 200
2-2 3 / 7, 8
3-1 (1) 926 (2) 723 **3-2** 704
4-1 928 **4-2** 902

1-1 색칠한 부분은 십의 자리 80에 2를 곱한 것입니다.
➡ 80×2

1-2 색칠한 부분은 백의 자리 200에 3을 곱한 것입니다.
➡ 200×3

3-1 (1)
```
        1
      4 6 3
  ×       2
  ─────────
      9 2 6
```
(2)
```
        1
      2 4 1
  ×       3
  ─────────
      7 2 3
```

3-2
```
      1
    3 5 2
  ×     2
  ───────
    7 0 4
```

4-1
```
      1
    2 3 2
  ×     4
  ───────
    9 2 8
```

4-2
```
        1
      4 5 1
  ×       2
  ─────────
      9 0 2
```

17쪽 　개념 · 원리 확인

1-1 2, 1, 6, 6
1-2 3 / 2, 8, 5
2-1 (1) 1028　(2) 1449
2-2 3848
3-1 1809에 ○표
3-2
| 1224 |
| 1424 |
| 1524 |

4-1 3648
4-2 2079

2-1 (2)
```
      4 8 3
  ×       3
  1 4 4 9
```

2-2
```
      9 6 2
  ×       4
  3 8 4 8
```

3-1
```
      6 0 3
  ×       3
  1 8 0 9
```

3-2
```
    3
      3 8 1
  ×       4
  1 5 2 4
```

4-1
```
      9 1 2
  ×       4
  3 6 4 8
```

4-2
```
    2
      6 9 3
  ×       3
  2 0 7 9
```

18~19쪽 　기초 집중 연습

1-1 (　)(○)
1-2 (○)(　)
2-1 3, 753
2-2 652, 2608
3-1 152×4=608
3-2 423×3=1269
4-1 7
4-2 3

연산 2250

5-1 750×3=2250, 2250원
5-2 150×5=750, 750원
5-3 940×7=6580, 6580원

1-1
```
    4           2
      1 9 1       2 7 1
  ×       5   ×       3
    9 5 5,      8 1 3
```

1-2
```
                3
    6 1 2       3 9 2
  ×     4   ×       4
  2 4 4 8,  1 5 6 8
```

2-1 251씩 3번 ➡ 251×3=753

2-2 652씩 4번 ➡ 652×4=2608

3-1 152+152+152+152 ➡ 152×4=608
　　　└─────4번─────┘

3-2 423+423+423 ➡ 423×3=1269
　　　└──3번──┘

4-1 일의 자리에서 올림이 없으므로 □×3의 일의 자리 수는 1입니다.
7×3=21이므로 □ 안에 알맞은 수는 7입니다.

4-2 십의 자리에서 올림이 없으므로 □×4의 값은 12입니다.
3×4=12이므로 □ 안에 알맞은 수는 3입니다.

연산
```
    1
      7 5 0
  ×       3
  2 2 5 0
```

5-1 (3일 동안 모은 돈)=(하루에 모은 돈)×(날수)
=750×3=2250(원)

5-2 (5일 동안 넣은 돈)=(하루에 넣은 돈)×(날수)
=150×5=750(원)

5-3 일주일은 7일입니다.
(일주일 동안 모은 돈)=(하루에 모은 돈)×(날수)
=940×7=6580(원)

21쪽 　개념 · 원리 확인

1-1 8, 800
1-2 260
2-1 100
2-2 (위에서부터) 2380, 10
3-1 (1) 900　(2) 600
3-2 (1) 1680　(2) 2700
4-1 3200
4-2 640

2-1 30은 3의 10배, 60은 6의 10배
➡ 30×60은 3×6의 100배

2-2 70은 7의 10배 ➡ 34×70은 34×7의 10배

3-2 (1) 24×7=168 ➡ 24×70=1680
(2) 45×6=270 ➡ 45×60=2700

4-1 40×80=40×8×10=320×10=3200

4-2 16×4=64 ➡ 16×40=640

23쪽 ⬛ 개념·원리 확인

1-1 (왼쪽부터) 210, 234 / 3

1-2 (왼쪽부터) 8, 128 / 30

2-1 (1) 185 (2) 343 　　**2-2** 585

3-1 186 　　　　　　　　　**3-2** 332

4-1
```
      3
  ×  2 7
    2 1
    6 0
    8 1
```

4-2
```
      4
  ×  6 2
      8
    2 4 0
    2 4 8
```

3-1
```
      2
  ×  9 3
    1 8 6
```

3-2
```
    1
      4
  ×  8 3
    3 3 2
```

4-1 3×27에서 27은 20＋7이므로 3과 7, 3과 20을 각각 곱하여 더해야 합니다.

24~25쪽 ⬛ 기초 집중 연습

1-1 (○) (　)　　　　**1-2** ㉡

2-1 ㉡　　　　　　　　**2-2** [교차 연결]

3-1
70×50
32×70　　46×80

3-2 ㉠, ㉢

연산 1500

4-1 30×50＝1500, 1500개

4-2 35×60＝2100, 2100개

4-3 9×16＝144, 144 m

1-1 26×4＝104 ➡ 26×40＝1040

1-2 ㉠ 40×50＝2000

2-1 두 수를 바꾸어 곱해도 계산 결과는 같습니다.
➡ 32×20＝20×32

> 다른 풀이
> 32×20＝640
> ㉠ 16×30＝480　　㉢ 20×32＝640

2-2 두 수를 바꾸어 곱해도 계산 결과는 같습니다.
20×80＝80×20, 40×30＝30×40

3-1 70×50＝3500, 32×70＝2240,
46×80＝3680

3-2 ㉠ 6×45＝270　　㉡ 8×42＝336
㉢ 9×32＝288

연산 30×50＝1500

4-1 (파란색 구슬 수)＝(빨간색 구슬 수)×50
＝30×50＝1500(개)

4-2 (잣의 수)＝(아몬드의 수)×60
＝35×60＝2100(개)

4-3 (우석이가 사용한 철사의 길이)
＝(민하가 사용한 철사의 길이)×16
＝9×16＝144 (m)

27쪽 ⬛ 개념·원리 확인

1-1 (왼쪽부터) 8, 0, 3, 6 / 10

1-2 (왼쪽부터) 6, 9, 2, 6 / 1

2-1 (1) 768 (2) 224　　**2-2** 728

3-1 10, 610, 915　　　**3-2** ㉠ 73, ㉡ 1

4-1 689　　　　　　　　**4-2** 588

2-1 (1)
```
    2 4
  × 3 2
    4 8
  7 2 0
  7 6 8
```
(2)
```
    1 6
  × 1 4
    6 4
  1 6 0
  2 2 4
```
2-2
```
    5 2
  × 1 4
  2 0 8
  5 2 0
  7 2 8
```

3-1 15＝10＋5이므로 61×15＝61×10＋61×5
로 나타낼 수 있습니다.

3-2 21＝20＋1이므로 73×21＝73×20＋73×1로
나타낼 수 있습니다. ➡ ㉠＝73, ㉡＝1

4-1
```
    5 3
  × 1 3
  1 5 9
  5 3 0
  6 8 9
```
4-2
```
    4 9
  × 1 2
    9 8
  4 9 0
  5 8 8
```

개념 · 원리 확인

1-1 (왼쪽부터) 245, 945 / 20
1-2 (왼쪽부터) 1300, 1508 / 26

2-1
$$\begin{array}{r} 4\,6 \\ \times\ 3\,4 \\ \hline 1\,8\,4 \\ 1\,3\,8\,0 \\ \hline 1\,5\,6\,4 \end{array}$$

2-2
$$\begin{array}{r} 6\,2 \\ \times\ 4\,5 \\ \hline 3\,1\,0 \\ 2\,4\,8\,0 \\ \hline 2\,7\,9\,0 \end{array}$$

3-1 1431
3-2 4788
4-1 2432
4-2 4745

3-1
$$\begin{array}{r} 2\,7 \\ \times\ 5\,3 \\ \hline 8\,1 \\ 1\,3\,5\,0 \\ \hline 1\,4\,3\,1 \end{array}$$

3-2
$$\begin{array}{r} 6\,3 \\ \times\ 7\,6 \\ \hline 3\,7\,8 \\ 4\,4\,1\,0 \\ \hline 4\,7\,8\,8 \end{array}$$

4-1
$$\begin{array}{r} 6\,4 \\ \times\ 3\,8 \\ \hline 5\,1\,2 \\ 1\,9\,2\,0 \\ \hline 2\,4\,3\,2 \end{array}$$

4-2
$$\begin{array}{r} 7\,3 \\ \times\ 6\,5 \\ \hline 3\,6\,5 \\ 4\,3\,8\,0 \\ \hline 4\,7\,4\,5 \end{array}$$

기초 집중 연습

1-1 540
1-2 3212

2-1 (위 칸에 ○)
2-2 ( )
(○)

3-1 ㉡
3-2 ㉠

4-1 민호
4-2 ㉡, ㉠, ㉢

연산 1312

5-1 $32 \times 41 = 1312$, 1312
5-2 $42 \times 23 = 966$, 966
5-3 $48 \times 34 = 1632$, 1632

2-1 $14 = 10 + 4$ ➡ 62×14는 62×10과 62×4의 합

2-2 $26 = 20 + 6$ ➡ 75×26은 75×20과 75×6의 합

3-1 ㉠ $17 \times 23 = 391$　㉡ $27 \times 13 = 351$

3-2 ㉠ $38 \times 62 = 2356$　㉡ $34 \times 74 = 2516$

4-1 민호: $39 \times 21 = 819$, 수현: $23 \times 25 = 575$,
정우: $28 \times 19 = 532$ ➡ $819 > 575 > 532$

4-2 ㉠ $16 \times 78 = 1248$, ㉡ $42 \times 31 = 1302$,
㉢ $36 \times 34 = 1224$ ➡ $1302 > 1248 > 1224$

연산
$$\begin{array}{r} 3\,2 \\ \times\ 4\,1 \\ \hline 3\,2 \\ 1\,2\,8\,0 \\ \hline 1\,3\,1\,2 \end{array}$$

5-1 (쿠키 41개의 열량)
= (쿠키 1개의 열량) × (쿠키 수)
= $32 \times 41 = 1312$(킬로칼로리)

5-2 (송편 23개의 열량)
= $42 \times 23 = 966$(킬로칼로리)

5-3 (막대 사탕 34개의 열량)
= $48 \times 34 = 1632$(킬로칼로리)

개념 · 원리 확인

1-1 20
1-2 30
2-1 3, 30
2-2 1, 10
3-1 20
3-2 10
4-1 $6\overline{)60}$ 몫 10
4-2 $2\overline{)80}$ 몫 40

2-1 $90 \div 3$에서 90을 십 모형 9개로 생각하면 $9 \div 3$이므로 $9 \div 3 = 3$ ➡ $90 \div 3 = 30$입니다.

2-2 $50 \div 5$에서 50을 십 모형 5개로 생각하면 $5 \div 5$이므로 $5 \div 5 = 1$ ➡ $50 \div 5 = 10$입니다.

3-1 $8 \div 4 = 2$ ➡ $80 \div 4 = 20$

3-2 $7 \div 7 = 1$ ➡ $70 \div 7 = 10$

4-1 $60 \div 6 = 10$ ➡ $6\overline{)60}$ 몫 10

4-2 $80 \div 2 = 40$ ➡ $2\overline{)80}$ 몫 40

35쪽 개념 · 원리 확인

1-1 35 **1-2** 15

2-1 12, 10

2-2
$$\begin{array}{r} 15 \\ 6\overline{)90} \\ 6 \\ \hline 30 \\ 30 \\ \hline 0 \end{array}$$

3-1 (1) 16 (2) 25 **3-2** 18

4-1 45 **4-2** 14

1-1 한 묶음에는 십 모형 3개, 일 모형 5개이므로
$70 \div 2 = 35$입니다.

1-2 한 묶음에는 방울토마토가 15개이므로
$30 \div 2 = 15$입니다.

3-1 (1)
$$\begin{array}{r} 16 \\ 5\overline{)80} \\ 5 \\ \hline 30 \\ 30 \\ \hline 0 \end{array}$$
(2)
$$\begin{array}{r} 25 \\ 2\overline{)50} \\ 4 \\ \hline 10 \\ 10 \\ \hline 0 \end{array}$$
3-2
$$\begin{array}{r} 18 \\ 5\overline{)90} \\ 5 \\ \hline 40 \\ 40 \\ \hline 0 \end{array}$$

4-1 $90 \div 2 = 45$ **4-2** $70 \div 5 = 14$

36~37쪽 기초 집중 연습

1-1 10 **1-2** 15

2-1 20 **2-2** 18

3-1 (빈칸) ○ **3-2** 90÷6 , 70÷2

4-1 ㉡

연산 30 **5-1** $60 \div 2 = 30$, 30줄

5-2 $80 \div 5 = 16$, 16줄 **5-3** $90 \div 5 = 18$, 18줄

2-1 $60 > 3$ ➡ $60 \div 3 = 20$

2-2 $90 > 5$ ➡ $90 \div 5 = 18$

3-1 $30 \div 3 = 10$, $\underline{80 \div 4 = 20}$

3-2 $\underline{90 \div 6 = 15}$, $70 \div 2 = 35$

4-1 ㉠ $50 \div 5 = 10$ ㉡ $50 \div 2 = 25$
　　㉢ $90 \div 9 = 10$
➡ 몫이 다른 하나는 ㉡입니다.

4-2 영탁: $80 \div 8 = 10$　　준희: $60 \div 4 = 15$
태연: $30 \div 2 = 15$
➡ 몫이 다른 하나를 말한 사람은 영탁입니다.

5-1 (줄 수)=(전체 송편 수)÷(한 줄에 놓는 송편 수)
　　　=$60 \div 2 = 30$(줄)

5-2 (줄 수)=(전체 곶감 수)÷(한 줄에 꽂는 곶감 수)
　　　=$80 \div 5 = 16$(줄)

5-3 (줄 수)=(전체 학생 수)÷(한 줄에 서는 학생 수)
　　　=$90 \div 5 = 18$(줄)

38~39쪽 누구나 100점 맞는 테스트

1 462 **2** ㉡

3 432 **4** 2736

5 $28 \times 14 = 392$, 392쪽

6 5, 3755 **7** ㉡

8 (선 잇기) **9** 준희

10 $30 \div 2 = 15$, 15개

---

2 색칠한 부분은 십의 자리 70에 2를 곱한 것입니다.
➡ 70×2

3
$$\begin{array}{r} 36 \\ \times\ 12 \\ \hline 72 \\ 360 \\ \hline 432 \end{array}$$
4
$$\begin{array}{r} \overset{3}{}304 \\ \times\ 9 \\ \hline 2736 \end{array}$$

5 (14일 동안 읽을 수 있는 쪽수)
　=(하루에 읽으려는 쪽수)×(날수)
　=$28 \times 14 = 392$(쪽)

6 751씩 5번 ➡ $751 \times 5 = 3755$

7 ㉠ $90 \div 3 = 30$

8 $60 \times 70 = 4200$, $85 \times 50 = 4250$

9 준희: $4 \times 78 = 312$ ➡ $312 > 305$이므로 더 큰 수를 말한 사람은 준희입니다.

10 (바구니 한 개에 담아야 하는 달걀 수)
　=$30 \div 2 = 15$(개)

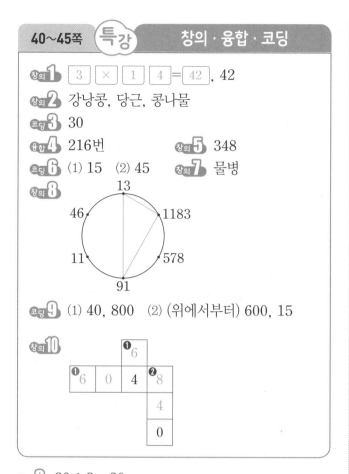

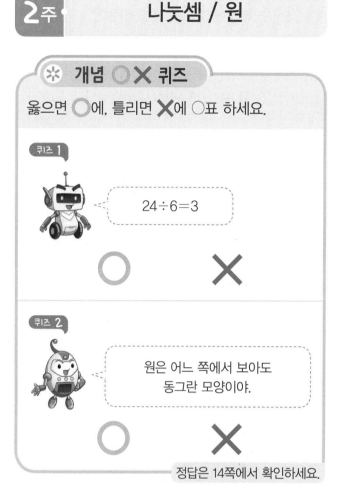

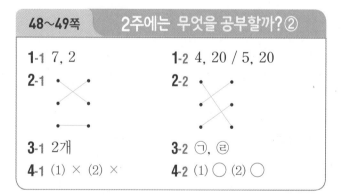

창의 **1** ☐3☐ × ☐1☐ ☐4☐ = ☐42☐ , 42

창의 **2** 강낭콩, 당근, 콩나물

코딩 **3** 30

융합 **4** 216번   창의 **5** 348

코딩 **6** (1) 15 (2) 45   창의 **7** 물병

창의 **8**

13
46 • • 1183
11 • • 578
91

코딩 **9** (1) 40, 800   (2) (위에서부터) 600, 15

창의 **10**

		❶6	
❶6	0	4	❷8
			4
			0

코딩 **3** 90÷3=30

융합 **4** (오늘 한 절의 수)=108×2=216(번)

창의 **5** [사람 1] 고깔모자를 쓴 사람이 말한 수: 174
[사람 2] 안경을 쓴 사람이 말한 수: 2
➡ 174×2=348

코딩 **6** (1) 30÷2=15   (2) 90÷2=45

창의 **7** 121×2=242 ➡ 물병

창의 **8** 91×13=1183 ➡ 세 점 91, 13, 1183을 선
으로 이어 원 안에 삼각형을 그립니다.

코딩 **9** (1) 80÷2=40, 40×20=800
(2) 60÷4=15, 15×40=600

창의 **10** ➡ ❶ 756×8=6048
↓ ❶ 4×16=64   ❷ 42×20=840

❋ 개념 ◯✕ 퀴즈 정답

퀴즈 1 ◯ ⊗   퀴즈 2 ◉ ✕

퀴즈 1 3×32=96

2주· 나눗셈 / 원

❋ 개념 ◯✕ 퀴즈

옳으면 ◯에, 틀리면 ✕에 ◯표 하세요.

퀴즈 1

24÷6=3

◯   ✕

퀴즈 2

원은 어느 쪽에서 보아도
동그란 모양이야.

◯   ✕

정답은 14쪽에서 확인하세요.

정답

풀이

1-1 7, 2   **1-2** 4, 20 / 5, 20

2-1   **2-2**

3-1 2개   **3-2** ㉠, ㉣

4-1 (1) ✕ (2) ✕   **4-2** (1) ◯ (2) ◯

1-1 2×7=14   2×7=14
14÷7=2   14÷2=7

1-2 20÷4=5   20÷4=5
4×5=20   5×4=20

3-1 원은 길쭉하거나 찌그러진 곳 없이 어느 쪽에서
보아도 똑같이 동그란 모양입니다.

3-2 원은 길쭉하거나 찌그러진 곳 없이 어느 쪽에서 보아도 똑같이 동그란 모양입니다.
➡ ㉠, ㉢

4-1 (1) 원은 뾰족한 부분이 없습니다.
(2) 원은 굽은 선으로 이어져 있습니다.

51쪽 　　　　개념·원리 확인

1-1 (위에서부터) 2, 20, 2

1-2 (위에서부터) 1, 9, 3, 1, 0

2-1
```
      1 4
  2 ) 2 8
      2
    ─────
        8
        8
    ─────
        0
```

2-2 (1)
```
      2 1
  3 ) 6 3
      6
    ─────
        3
        3
    ─────
        0
```
(2)
```
      1 1
  4 ) 4 4
      4
    ─────
        4
        4
    ─────
        0
```

3-1 (1) 13　(2) 31　　**3-2** 42

4-1 24　　**4-2** 11

3-1 (1)
```
      1 3
  3 ) 3 9
      3
    ─────
        9
        9
    ─────
        0
```
(2)
```
      3 1
  2 ) 6 2
      6
    ─────
        2
        2
    ─────
        0
```
3-2
```
      4 2
  2 ) 8 4
      8
    ─────
        4
        4
    ─────
        0
```

4-1
```
      2 4
  2 ) 4 8
      4
    ─────
        8
        8
    ─────
        0
```
4-2
```
      1 1
  9 ) 9 9
      9
    ─────
        9
        9
    ─────
        0
```

53쪽 　　　　개념·원리 확인

1-1 (위에서부터) 7, 10, 5

1-2 (위에서부터) (1) 6, 4, 2　(2) 2, 6, 0

2-1
```
      2 6
  2 ) 5 2
      4
    ─────
      1 2
      1 2
    ─────
        0
```

2-2 (1) 14　(2) 12

3-1 27

3-2 46

4-1 ·　·
4-2 ·　·

2-2 (1)
```
      1 4
  3 ) 4 2
      3
    ─────
      1 2
      1 2
    ─────
        0
```
(2)
```
      1 2
  8 ) 9 6
      8
    ─────
      1 6
      1 6
    ─────
        0
```

3-1
```
      2 7
  3 ) 8 1
      6
    ─────
      2 1
      2 1
    ─────
        0
```
3-2
```
      4 6
  2 ) 9 2
      8
    ─────
      1 2
      1 2
    ─────
        0
```

4-1 $34 \div 2 = 17$　　**4-2** $65 \div 5 = 13$

54~55쪽 　　　　기초 집중 연습

1-1 (1)
```
      1 3
  2 ) 2 6
      2
    ─────
        6
        6
    ─────
        0
```
(2)
```
      2 3
  3 ) 6 9
      6
    ─────
        9
        9
    ─────
        0
```
1-2 (1) 37　(2) 19

2-1 22　　　　　　　　**2-2** 28

3-1 ·　·　　　　　　　**3-2** ·　·

4-1 <　　　　　　　　**4-2** >

연산 12　　　　　　　**5-1** $24 \div 2 = 12$, 12개

5-2 $84 \div 4 = 21$, 21개

5-3 $65 \div 5 = 13$, 13개

1-2 (1)
```
      3 7
  2 ) 7 4
      6
    ─────
      1 4
      1 4
    ─────
        0
```
(2)
```
      1 9
  5 ) 9 5
      5
    ─────
      4 5
      4 5
    ─────
        0
```

2-1
```
      2 2
  3 ) 6 6
      6
    ─────
        6
        6
    ─────
        0
```
2-2
```
      2 8
  3 ) 8 4
      6
    ─────
      2 4
      2 4
    ─────
        0
```

3-1
$$\begin{array}{r} 1\,1 \\ 7\,\overline{)\,7\,7} \\ \underline{7} \\ 7 \\ \underline{7} \\ 0 \end{array}$$

3-2
$$\begin{array}{r} 2\,9 \\ 2\,\overline{)\,5\,8} \\ \underline{4} \\ 1\,8 \\ \underline{1\,8} \\ 0 \end{array}$$

4-1 $33\div3=11$, $72\div6=12$ ➡ $11<12$

4-2 $72\div3=24$, $75\div5=15$ ➡ $24>15$

`연산` $24\div2=12$

5-1 (필요한 봉지 수)
　　＝(전체 초콜릿 수)
　　　÷(봉지 한 개에 담으려는 초콜릿 수)
　　＝$24\div2=12$(개)

5-2 (필요한 상자 수)
　　＝(전체 사과 수)÷(상자 한 개에 담으려는 사과 수)
　　＝$84\div4=21$(개)

5-3 (한 상자에 담을 수 있는 키위 수)
　　＝(전체 키위 수)÷(상자 수)
　　＝$65\div5=13$(개)

57쪽	개념 · 원리 확인

1-1 몫, 나머지　　　**1-2** 5, 7

2-1 (위에서부터) 8, 2, 8

2-2 (1) 9, 1　(2) 4, 4, 1

3-1 (1)
$$\begin{array}{r} 8 \\ 7\,\overline{)\,5\,9} \\ \underline{5\,6} \\ 3 \end{array}$$
(2)
$$\begin{array}{r} 7 \\ 4\,\overline{)\,3\,1} \\ \underline{2\,8} \\ 3 \end{array}$$
3-2 $13\cdots1$

4-1 (◯)(　)　　**4-2** (　)(◯)

4-1 $36\div3=12$　　$17\div6=2\cdots5$

`참고`
나눗셈의 나머지가 없으면 나머지가 0이라고 말할 수 있습니다.

4-2 나머지가 0일 때 나누어떨어진다고 합니다.
　　$48\div5=9\cdots3$　　$56\div4=14$
　　　　　　　　　　　　　　↑
　　　　　　　　　　　나누어떨어집니다.

59쪽	개념 · 원리 확인

1-1 (위에서부터) 2, 6, 2, 2

1-2 (1) (위에서부터) 4, 6, 2
　　(2) (위에서부터) 1, 7, 2, 1

2-1 (1)
$$\begin{array}{r} 1\,7 \\ 2\,\overline{)\,3\,5} \\ \underline{2} \\ 1\,5 \\ \underline{1\,4} \\ 1 \end{array}$$
(2)
$$\begin{array}{r} 1\,9 \\ 3\,\overline{)\,5\,9} \\ \underline{3} \\ 2\,9 \\ \underline{2\,7} \\ 2 \end{array}$$

2-2 $29\cdots1$

3-1 13, 4

3-2 17, 3

4-1
$$\begin{array}{r} 1\,8 \\ 3\,\overline{)\,5\,6} \\ \underline{3} \\ 2\,6 \\ \underline{2\,4} \\ 2 \end{array}$$

4-2
$$\begin{array}{r} 3\,7 \\ 2\,\overline{)\,7\,5} \\ \underline{6} \\ 1\,5 \\ \underline{1\,4} \\ 1 \end{array}$$

2-2
$$\begin{array}{r} 2\,9 \\ 2\,\overline{)\,5\,9} \\ \underline{4} \\ 1\,9 \\ \underline{1\,8} \\ 1 \end{array}$$

3-1 $69\div5=13\cdots4$　　**3-2** $71\div4=17\cdots3$

4-1 나머지는 나누는 수보다 작아야 합니다.

60~61쪽	기초 집중 연습

1-1 15, 1　　　　**1-2** 11, 3

2-1 2, 1　　　　**2-2** 5, 2

3-1 (　)(×)(　)　　**3-2** ㉡

4-1 ㉢　　　　**4-2** ㉠

`연산` 11, 2

5-1 $57\div5=11\cdots2$ / 11, 2

5-2 $39\div2=19\cdots1$ / 19, 1

5-3 $53\div3=17\cdots2$ / 17상자, 2개

1-1
$$\begin{array}{r} 1\,5 \\ 3\,\overline{)\,4\,6} \\ \underline{3} \\ 1\,6 \\ \underline{1\,5} \\ 1 \end{array}$$

1-2
$$\begin{array}{r} 1\,1 \\ 8\,\overline{)\,9\,1} \\ \underline{8} \\ 1\,1 \\ \underline{8} \\ 3 \end{array}$$

2-1 $15 > 7 \Rightarrow 15 \div 7 = 2 \cdots 1$

2-2 $27 > 5 \Rightarrow 27 \div 5 = 5 \cdots 2$

3-1 $\square \div 5$: 나머지가 될 수 있는 수는 0, 1, 2, 3, 4

$\square \div 3$: 나머지가 될 수 있는 수는 0, 1, 2

$\square \div 7$: 나머지가 될 수 있는 수는 0, 1, 2, 3, 4, 5, 6

3-2 $\square \div 4$: 나머지가 될 수 있는 수는 0, 1, 2, 3

$\square \div 5$: 나머지가 될 수 있는 수는 0, 1, 2, 3, 4

$\square \div 6$: 나머지가 될 수 있는 수는 0, 1, 2, 3, 4, 5

4-1 ㉠ $89 \div 8 = 11 \cdots 1$ ㉡ $69 \div 6 = 11 \cdots 3$

1 < 3이므로 나머지가 더 큰 것은 ㉡입니다.

4-2 ㉠ $85 \div 6 = 14 \cdots 1$ ㉡ $86 \div 7 = 12 \cdots 2$

1 < 2이므로 나머지가 더 작은 것은 ㉠입니다.

5-1 (전체 사탕 수) ÷ (사람 수) = $57 \div 5$
$= 11 \cdots 2$

한 명이 먹을 수 있는 사탕 수 ↑ ↑ 남는 사탕 수

5-2 (전체 동전 수) ÷ (사람 수) = $39 \div 2$
$= 19 \cdots 1$

한 명이 가질 수 있는 동전 수 ↑ ↑ 남는 동전 수

5-3 (전체 야구공 수) ÷ (한 상자에 담으려는 야구공 수)
$= 53 \div 3 = 17 \cdots 2$

필요한 상자 수 ↑ ↑ 남는 야구공 수

63쪽	개념 · 원리 확인

1-1 8, 2 / 8, 3, 1, 0

1-2 (1) (위에서부터) 3, 0

(2) (위에서부터) 2, 6, 1

2-1 (1) 200 (2) 81 **2-2** 93

3-1
```
    1 2 0
3 ) 3 6 0
    3
    ─────
    6
    6
    ─────
    0
```

3-2
```
    2 4 2
3 ) 7 2 6
    6
    ─────
    1 2
    1 2
    ─────
    6
    6
    ─────
    0
```

2-1 (1)
```
    2 0 0
2 ) 4 0 0
    4
    ─────
    0
```
(2)
```
    8 1
8 ) 6 4 8
    6 4
    ─────
    8
    8
    ─────
    0
```
2-2
```
    9 3
3 ) 2 7 9
    2 7
    ─────
    9
    9
    ─────
    0
```

3-2 백의 자리에서 계산하고 남은 수를 내림하지 않아서 잘못 계산했습니다.

65쪽	개념 · 원리 확인

1-1 (1) (위에서부터) 9, 3, 2

(2) (위에서부터) 1, 2

1-2 (1)
```
    1 9 2
2 ) 3 8 5
    2
    ─────
    1 8
    1 8
    ─────
    5
    4
    ─────
    1
```
(2)
```
    1 0 7
7 ) 7 5 3
    7
    ─────
    5 3
    4 9
    ─────
    4
```

2-1 268, 1 **2-2** 39 ⋯ 1

3-1 81, 1 **3-2** 91, 3

4-1 ( )(○) **4-2** ㉠

2-1
```
    2 6 8
2 ) 5 3 7
    4
    ─────
    1 3
    1 2
    ─────
    1 7
    1 6
    ─────
    1
```

2-2
```
    3 9
6 ) 2 3 5
    1 8
    ─────
    5 5
    5 4
    ─────
    1
```

3-1
```
    8 1
2 ) 1 6 3
    1 6
    ─────
    3
    2
    ─────
    1
```

3-2
```
    9 1
4 ) 3 6 7
    3 6
    ─────
    7
    4
    ─────
    3
```

4-1 $373 \div 4 = 93 \cdots 1$, $851 \div 9 = 94 \cdots 5$

4-2 ㉠ $524 \div 8 = 65 \cdots 4$ ㉡ $724 \div 7 = 103 \cdots 3$

66~67쪽 **기초 집중 연습**

1-1 190 **1-2** 74, 1
2-1 102, 1 **2-2** 91, 1
3-1 < **3-2** >
4-1 민하 **4-2** ㉢
연산 16 **5-1** 128÷8=16, 16권
5-2 452÷4=113, 113개
5-3 587÷5=117…2 / 117명, 2개

2-1 919>9 ➡ 919÷9=102…1

2-2 365>4 ➡ 365÷4=91…1

3-1 679÷7=97 ➡ 97<100

3-2 240÷2=120 ➡ 120>109

4-1 (세 자리 수)÷(한 자리 수)에서 나누어지는 수의
백의 자리 수가 나누는 수보다 작으면 몫은 두 자
리 수입니다.
영탁: 3̲80÷2̲ ➡ 3>2이므로 몫은 세 자리 수
민하: 3̲80÷4̲ ➡ 3<4이므로 몫은 두 자리 수
정우: 4̲00÷2̲ ➡ 4>2이므로 몫은 세 자리 수

다른 풀이
380÷2=190, 380÷4=9̲5̲, 400÷2=200

4-2 (세 자리 수)÷(한 자리 수)에서 나누어지는 수의
백의 자리 수가 나누는 수와 같거나 크면 몫은 세
자리 수입니다.
㉠ 5̲19÷6̲ ➡ 5<6이므로 몫은 두 자리 수
㉡ 8̲40÷7̲ ➡ 8>7이므로 몫은 세 자리 수
㉢ 2̲61÷3̲ ➡ 2<3이므로 몫은 두 자리 수

다른 풀이
㉠ 519÷6=86…3, ㉡ 8̲40÷7̲=120
㉢ 261÷3=87

연산 128÷8=16

5-1 (한 명이 가질 수 있는 공책 수)
=(전체 공책 수)÷(사람 수)=128÷8=16(권)

5-2 (한 명에게 나누어 줄 수 있는 과자 수)
=(전체 과자 수)÷(사람 수)
=452÷4=113(개)

5-3 (전체 귤 수)÷(한 명에게 나누어 주려는 귤 수)
=587÷5=117…2
가질 수 있는 사람 수┘ └─남는 귤 수

69쪽 **개념·원리 확인**

1-1 (1)
```
   1 3
4)5 2
  4
  1 2
  1 2
    0
```
(2)
```
   4 6
2)9 3
  8
  1 3
  1 2
    1
```
1-2 (1) 31 (2) 11…2

2-1 8에 △표, 42에 ○표
2-2 2에 △표, 13에 ○표
3-1 36 **3-2** 246
4-1
```
   4 2 , 43
2)8 5
  8
  5
  4
  1
```
4-2 92

2-1 386÷9=42…8 **2-2** 67÷5=13…2

3-1 252÷7=36 **3-2** 984÷4=246

4-1 몫은 42, 나머지는 1이므로 42+1=43입니다.

4-2 729÷8=91…1 ➡ 91+1=92

71쪽 **개념·원리 확인**

1-1 8, 1, 25 **1-2** 6 / 7, 77, 6
2-1 63, 63, 64 / × **2-2** 16, 48, 2 / ○
3-1 **3-2**
4-1
```
    9  / 9, 6, 69
7)6 9
  6 3
    6
```
4-2
```
   3 7  / 37, 1, 75
2)7 5
  6
  1 5
  1 4
    1
```

2-1 65÷7=9…1

확인 7×9=63, 63+1=64 (×)

2-2
$$50 \div 3 = 16 \cdots 2$$
확인 $3 \times 16 = 48$, $48 + 2 = 50$ (◯)

3-1 $58 \div 9 = 6 \cdots 4$ → 확인 $9 \times 6 = 54$, $54 + 4 = 58$

3-2 $81 \div 4 = 20 \cdots 1$ → 확인 $4 \times 20 = 80$, $80 + 1 = 81$

4-1 $69 \div 7 = 9 \cdots 6$ → 확인 $7 \times 9 = 63$, $63 + 6 = 69$

4-2 $75 \div 2 = 37 \cdots 1$ → 확인 $2 \times 37 = 74$, $74 + 1 = 75$

72~73쪽 | **기초 집중 연습**

1-1 7, 2 / 7, 21, 2, 23
1-2 21, 3 / $4 \times 21 = 84$, $84 + 3 = 87$
2-1 13, 2 / ㉠   **2-2** 10, 7 / (◯)
                                         ( )
3-1 $68 \div 7$ / 9, 5 (또는 $68 \div 9$ / 7, 5)
3-2 $51 \div 6$ / 8, 3 (또는 $51 \div 8$ / 6, 3)
연산 41   **4-1** $328 \div 8 = 41$, 41개
4-2 $82 \div 2 = 41$, 41 cm
4-3 $286 \div 5 = 57 \cdots 1$, 57개, 1 cm

1-1 $23 \div 3 = 7 \cdots 2$ → 확인 $3 \times 7 = 21$, $21 + 2 = 23$

1-2 $87 \div 4 = 21 \cdots 3$ → 확인 $4 \times 21 = 84$, $84 + 3 = 87$

2-1 $93 \div 7 = 13 \cdots 2$
㉠ 몫은 13이므로 15보다 작습니다.
㉡ 나머지는 2입니다.

2-2 $87 \div 8 = 10 \cdots 7$
• 몫은 10이므로 두 자리 수입니다.
• 나머지는 7입니다.

3-1 $7 \times 9 = 63$, $63 + 5 = 68$
나눗셈식 $68 \div 7 = 9 \cdots 5$ (또는 $68 \div 9 = 7 \cdots 5$)

3-2 $6 \times 8 = 48$, $48 + 3 = 51$
나눗셈식 $51 \div 6 = 8 \cdots 3$ (또는 $51 \div 8 = 6 \cdots 3$)

연산 $328 \div 8 = 41$

4-1 (만들 수 있는 리본 수)
= (전체 끈의 길이)
÷ (리본 1개를 만드는 데 필요한 끈의 길이)
= $328 \div 8 = 41$(개)

4-2 (털실 한 뭉치의 길이)
= $82 \div 2 = 41$(cm)

4-3 (전체 나무 막대의 길이) ÷ (한 도막의 길이)
= $286 \div 5 = 57 \cdots 1$
5cm짜리 도막 수 ↑   ↑ 남은 나무 막대의 길이

75쪽 | **개념 · 원리 확인**

1-1 (위에서부터) 지름, 반지름, 중심
1-2 ㉣, ㉢, ㉡
2-1 ㄴ   **2-2**

3-1 17   **3-2** 5
4-1 선분 ㄴㄹ   **4-2** 선분 ㅇㅁ

2-1 원의 중심은 원을 그릴 때에 누름 못이 꽂혔던 점입니다.

3-1 한 원에서 원의 지름은 모두 같습니다.

3-2 한 원에서 원의 반지름은 모두 같습니다.

4-1 원의 지름은 원의 중심을 지나는 선분입니다.

4-2 원의 반지름은 원의 중심과 원 위의 한 점을 이은 선분입니다.

77쪽 | **개념 · 원리 확인**

1-1 지름 / 지름   **1-2** 2
2-1 ㅁㅂ   **2-2** 선분 ㄱㄷ
3-1 예   **3-2** 예

4-1 16   **4-2** 6

2-1 원의 중심을 지나는 선분 ㅁㅂ이 가장 깁니다.

2-2 원의 중심을 지나는 선분 ㄱㄷ이 가장 깁니다.

4-1 (원의 지름)=(원의 반지름)×2
$$=8×2=16\,(cm)$$

4-2 (원의 반지름)=(원의 지름)÷2
$$=12÷2=6\,(cm)$$

78~79쪽	기초 집중 연습

1-1 8 cm **1-2** 5 cm

2-1 예 / 3 cm

2-2 예 / 1 cm

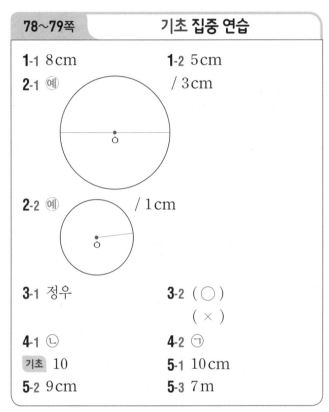

3-1 정우 **3-2** (◯)
(×)

4-1 ㉡ **4-2** ㉠

기초 10 **5-1** 10 cm

5-2 9 cm **5-3** 7 m

1-1 원의 반지름: 4 cm
➡ (원의 지름)=4×2=8 (cm)

1-2 원의 지름: 10 cm
➡ (원의 반지름)=10÷2=5 (cm)

3-1 민하: 한 원에서 반지름은 무수히 많이 그을 수 있습니다.

3-2 원의 지름은 원을 둘로 똑같이 나눕니다.

4-1 원의 반지름을 구하여 크기를 비교합니다.
㉡ 원의 지름: 16 cm
→ (원의 반지름)=16÷2=8 (cm)
➡ 7 cm<8 cm이므로 더 큰 원은 ㉡입니다.

다른 풀이
㉠ 원의 반지름: 7 cm → (원의 지름)=7×2=14 (cm)
➡ 14 cm<16 cm이므로 더 큰 원은 ㉡입니다.

4-2 원의 반지름을 구하여 크기를 비교합니다.
㉠ 원의 지름: 8 cm
→ (원의 반지름)=8÷2=4 (cm)
➡ 4 cm<6 cm이므로 더 작은 원은 ㉠입니다.

다른 풀이
㉡ 원의 반지름: 6 cm → (원의 지름)=6×2=12 (cm)
➡ 8 cm<12 cm이므로 더 작은 원은 ㉠입니다.

기초 (원의 반지름)=(원의 지름)÷2
$$=20÷2=10\,(cm)$$

5-1 작은 원의 지름은 큰 원의 반지름과 같습니다.
(큰 원의 반지름)=20÷2=10 (cm)
따라서 작은 원의 지름은 10 cm입니다.

5-2 선분 ㄱㄷ은 큰 원의 반지름과 같습니다.
➡ (선분 ㄱㄷ)=18÷2=9 (cm)

5-3 작은 원의 지름은 큰 원의 반지름과 같으므로
(작은 원의 지름)=28÷2=14 (m)입니다.
선분 ㄱㄴ은 작은 원의 반지름과 같으므로
(선분 ㄱㄴ)=14÷2=7 (m)입니다.

80~81쪽	누구나 100점 맞는 테스트

1 (1) 14 (2) 23 **2** 7 cm

3 116 **4**
```
    1 1  / 11, 2
7)7 9
  7
  ───
    9
    7
  ───
    2
```

5 48÷3=16, 16권 **6** 태연

7 63÷5=12···3 / 12개, 3개

8 ㉡ **9** 36, 1

10

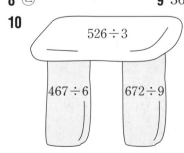

2 원의 지름: 14 cm
➡ (원의 반지름)=14÷2=7 (cm)

5 (한 칸에 꽂을 수 있는 책 수)
　 =(전체 책 수)÷(책꽂이 칸 수)
　 =48÷3=16(권)

6 영탁: 한 원에서 원의 중심은 1개뿐입니다.
　 민호: 원의 지름은 원의 중심을 지납니다.

7 (전체 참외 수)÷(사람 수)=63÷5
　　　　　　　　　　　　　　 =12…3
　　 한 명에게 줄 수 있는 참외 수┘ └남는 참외 수

8 93÷4=23…1 ➡ 확인 4×23=92, 92+1=93

9 73>65>2이므로 가장 큰 수는 73이고 가장 작은 수는 2입니다. ➡ 73÷2=36…1

10 (세 자리 수)÷(한 자리 수)에서 나누어지는 수의 백의 자리 수가 나누는 수보다 작으면 몫은 두 자리 수입니다.
　 5̲26÷3 ➡ 5>3이므로 몫은 세 자리 수
　 4̲67÷6 ➡ 4<6이므로 몫은 두 자리 수
　 6̲72÷9 ➡ 6<9이므로 몫은 두 자리 수

82~87쪽 특강　창의·융합·코딩

창의**1** 24층, 12층, 14층
창의**2** (　)(○)(　)
융합**3** 150 m　　융합**4** 78원
창의**5** 1, 2　　　코딩**6** ×
코딩**7** 10, 6　　코딩**8** 75, 3
창의**9** 12, 15　　창의**10** 민수

창의**1** 상필: 24층에 삽니다.
　 새날: 24를 2로 나눈 몫과 같은 층에 삽니다.
　 ➡ 24÷2=12(층)
　 상선: 새날이보다 2층 위에 삽니다.
　 ➡ 12+2=14(층)

창의**2** 반지름이 30 cm인 원은 지름이 60 cm인 원과 크기가 같습니다.

융합**3** (한 명이 달리는 거리)
　 =(전체 거리)÷(달리는 사람 수)
　 =600÷4=150 (m)

융합**4** 624÷8=78(원)

창의**5** 79÷3=26…1이므로 79를 넣었을 때 나오는 수는 1입니다.
　 547÷5=109…2이므로 547을 넣었을 때 나오는 수는 2입니다.

코딩**6** ●=6일 때 91÷6=15…1로 나누어떨어지지 않으므로 '아니요'로 갑니다.
　 ➡ 순서도에 따라 출력되는 값은 ×입니다.

코딩**7** 96÷9=10…6이므로 🛢 버튼을 누르면 몫인 10이 표시되고, 🛢 버튼을 누르면 나머지인 6이 표시됩니다.

코딩**8** 🛢 버튼을 누르면 9로 나누었을 때의 몫이 표시되므로 678÷9=75…3에서 75가 표시됩니다.
　 🛢 버튼을 누르면 9로 나누었을 때의 나머지가 표시되므로 75÷9=8…3에서 3이 표시됩니다.

창의**9**
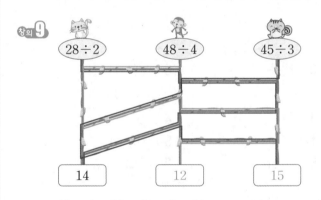
48÷4=12, 45÷3=15

창의**10** 아빠가 뚫은 구멍의 지름: 40 cm
　 엄마가 뚫은 구멍의 지름: 42 cm
　 민수가 뚫은 구멍의 지름: 22×2=44 (cm)
　 지름을 비교하면 44 cm>42 cm>40 cm이므로 뚫은 구멍이 가장 큰 사람은 민수입니다.

※ 개념 ○✕ 퀴즈 정답

퀴즈**1** 24÷6=4

3주 · 원 / 분수 / 들이와 무게

✱ 개념 ○✕ 퀴즈

옳으면 ○에, 틀리면 ✕에 ○표 하세요.

퀴즈 1

$\dfrac{4}{5}$는 $\dfrac{3}{5}$보다 큰 수입니다.

○　　　✕

퀴즈 2

4000 m=40 km

○　　　✕

정답은 22쪽에서 확인하세요.

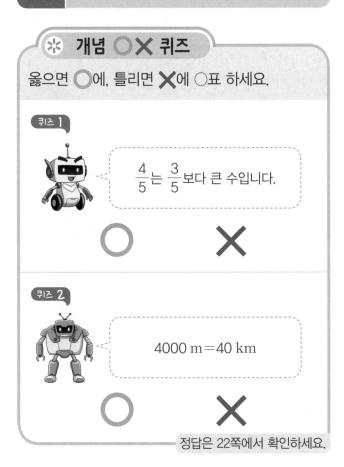

1-2 색칠한 부분은 전체를 똑같이 5로 나눈 것 중의 4 이므로 $\dfrac{4}{5}$입니다.

2-1 (1) 분자의 크기를 비교하면 2<5이므로 $\dfrac{2}{6}<\dfrac{5}{6}$ 입니다.

(2) 분자의 크기를 비교하면 9>7이므로 $\dfrac{9}{10}>\dfrac{7}{10}$ 입니다.

2-2 (1) 분자의 크기를 비교하면 4>3이므로 $\dfrac{4}{8}>\dfrac{3}{8}$ 입니다.

(2) 분자의 크기를 비교하면 5<11이므로 $\dfrac{5}{12}<\dfrac{11}{12}$ 입니다.

3-1 (1) 8 cm 1 mm=8 cm+1 mm
　　　　　=80 mm+1 mm=81 mm

(2) 39 mm=30 mm+9 mm
　　　　　=3 cm+9 mm=3 cm 9 mm

3-2 (1) 9 km 200 m=9 km+200 m
　　　　　=9000 m+200 m=9200 m

(2) 5400 m=5000 m+400 m
　　　　　=5 km+400 m=5 km 400 m

4-1 10 mm=1 cm ➡ 50 mm=5 cm
75 mm=70 mm+5 mm
　　　　=7 cm+5 mm=7 cm 5 mm

4-2 1 km=1000 m ➡ 6 km=6000 m
3 km 600 m=3 km+600 m
　　　　　=3000 m+600 m=3600 m

정답
풀이

90~91쪽	3주에는 무엇을 공부할까? ②

1-1 $\dfrac{3}{4}$　　　**1-2** $\dfrac{4}{5}$

2-1 (1) <　　　**2-2** (1) >
　　　(2) >　　　　　　(2) <

3-1 (1) 81　　　**3-2** (1) 9200
　　　(2) 3, 9　　　　　(2) 5, 400

4-1　　　　　**4-2**

1-1 색칠한 부분은 전체를 똑같이 4로 나눈 것 중의 3 이므로 $\dfrac{3}{4}$입니다.

93쪽	개념 · 원리 확인

1-1 ①, ③　　　**1-2** 5, ○
2-1 (○)(　)　　　**2-2** 4 cm에 ○표
3-1　　　　　**3-2**

정답 및 풀이

2-1 컴퍼스의 침이 눈금 0에 오고 연필심이 눈금 3에 오는 것을 찾습니다.

2-2 컴퍼스를 4 cm만큼 벌렸으므로 그린 원의 반지름은 4 cm입니다.

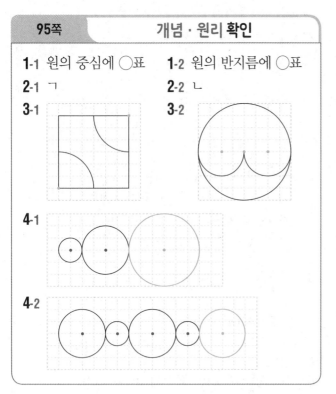

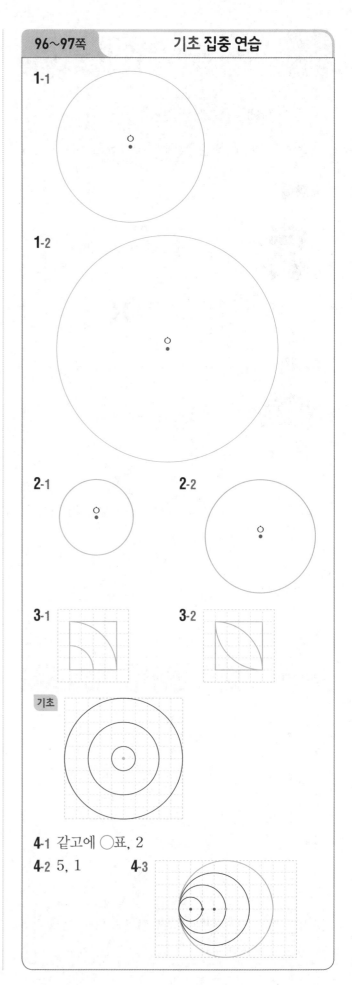

1-1 원의 반지름이 변하지 않고, 원의 중심이 오른쪽으로 모눈 4칸씩 이동하는 규칙입니다.

1-2 원의 중심이 모두 같고, 원의 반지름이 모눈 1칸씩 늘어나는 규칙입니다.

2-1 점 ㄱ을 원의 중심으로 하는 원의 일부분을 1개 그려야 합니다.

2-2 점 ㄴ을 원의 중심으로 하는 원의 일부분을 1개 그려야 합니다.

4-1 원의 중심을 오른쪽으로 모눈 5칸만큼 옮긴 점으로 하여 반지름이 모눈 3칸인 원을 그립니다.

4-2 원의 중심은 오른쪽으로 모눈 3칸씩 이동하고, 반지름은 모눈 2칸인 원과 1칸인 원이 반복되는 규칙입니다.

1-2 컴퍼스를 3 cm만큼 벌린 후 컴퍼스의 침을 점 ㅇ 에 꽂고 원을 그립니다.

2-1 ① 컴퍼스를 왼쪽 원의 반지름만큼 벌리기
② 컴퍼스의 침을 점 ㅇ에 꽂고 원 그리기

3-1 한 변이 모눈 4칸인 정사각형을 그린 후, 원의 중 심이 되는 점을 찾고 반지름이 모눈 2칸, 모눈 4 칸인 원의 일부분을 각각 1개씩 그립니다.

3-2 한 변이 모눈 4칸인 정사각형을 그린 후, 정사각 형의 꼭짓점을 원의 중심으로 하고 반지름이 모눈 4칸인 원의 일부분을 2개 그립니다.

4-3 원의 중심을 오른쪽으로 모눈 1칸만큼 이동하고, 원의 반지름이 모눈 4칸인 원을 그립니다.

99쪽	**개념 · 원리 확인**
1-1 $\dfrac{1}{6}$	**1-2** $\dfrac{3}{4}$
2-1 3, 1	**2-2** 6, 4
3-1 $\dfrac{2}{3}$	**3-2** $\dfrac{4}{5}$

3-1 색칠한 부분은 3묶음 중에서 2묶음이므로 전체의 $\dfrac{2}{3}$입니다.

3-2 색칠한 부분은 5묶음 중에서 4묶음이므로 전체의 $\dfrac{4}{5}$입니다.

101쪽	**개념 · 원리 확인**
1-1 (1) 3 (2) 3 (3) 6	**1-2** (1) 2 (2) 2 (3) 6
2-1 (1) 3 (2) 12	**2-2** (1) 2 (2) 14

3-1 예 / 2, 10

3-2 예 / 2, 12

3-1 12를 똑같이 6묶음으로 나눈 것 중의 1묶음은 2 입니다.
→ 12를 똑같이 6묶음으로 나눈 것 중의 5묶음은 10입니다.

102~103쪽	**기초 집중 연습**
1-1 4, $\dfrac{3}{4}$	**1-2** 9, $\dfrac{6}{9}$
2-1 2	**2-2** 12
3-1 $\dfrac{4}{9}$	**3-2** $\dfrac{2}{4}$
4-1 (1) 4 (2) 20	**4-2** (1) 4 (2) 20
기초 8	**5-1** 8개
5-2 12개	**5-3** 4개

2-1 8의 $\dfrac{1}{4}$은 8을 똑같이 4묶음으로 나눈 것 중의 1 묶음이므로 2입니다.

2-2 20의 $\dfrac{3}{5}$은 20을 똑같이 5묶음으로 나눈 것 중의 3묶음이므로 12입니다.

3-1 27을 3씩 묶으면 12는 9묶음 중의 4묶음이므로 12는 27의 $\dfrac{4}{9}$입니다.

3-2 16을 4씩 묶으면 8은 4묶음 중의 2묶음이므로 8은 16의 $\dfrac{2}{4}$입니다.

4-1 (1) 32의 $\dfrac{1}{8}$은 32를 똑같이 8묶음으로 나눈 것 중의 1묶음이므로 4입니다.
(2) 32의 $\dfrac{1}{8}$은 4이므로 32의 $\dfrac{5}{8}$는 20입니다.

4-2 (1) 24의 $\dfrac{1}{6}$은 24를 똑같이 6묶음으로 나눈 것 중의 1묶음이므로 4입니다.
(2) 24의 $\dfrac{1}{6}$은 4이므로 24의 $\dfrac{5}{6}$는 20입니다.

기초 18의 $\dfrac{4}{9}$는 18을 똑같이 9묶음으로 나눈 것 중의 4묶음이므로 8입니다.

5-2 21의 $\frac{4}{7}$는 12이므로 주머니 안에 들어 있는 빨간 구슬은 12개입니다.

5-3 윤수가 산 달걀은 10개입니다. 10의 $\frac{2}{5}$는 4이므로 동생에게 준 달걀은 4개입니다.

105쪽	**개념 · 원리 확인**
1-1 5, 10	**1-2** 3, 6
2-1 8	**2-2** 15
3-1 10, 70	**3-2** 20, 60
4-1 14	**4-2** 18

1-1 15 cm를 똑같이 3으로 나눈 것 중의 1은 5 cm, 똑같이 3으로 나눈 것 중의 2는 10 cm입니다.

2-1 18 cm를 똑같이 9로 나눈 것 중의 4 ➡ 8 cm

2-2 18 cm를 똑같이 6으로 나눈 것 중의 5 ➡ 15 cm

3-1 1 m = 100 cm를 똑같이 10으로 나눈 것 중의 1은 10 cm, 똑같이 10으로 나눈 것 중의 7은 70 cm입니다.

3-2 1 m = 100 cm를 똑같이 5로 나눈 것 중의 1은 20 cm, 똑같이 5로 나눈 것 중의 3은 60 cm입니다.

4-1 16 cm를 똑같이 8로 나눈 것 중의 7 ➡ 14 cm

4-2 24 cm를 똑같이 4로 나눈 것 중의 3 ➡ 18 cm

107쪽	**개념 · 원리 확인**

1-1 4, $\frac{8}{5}$

1-2

2-1 (◯)(△) **2-2** (△)(◯)

3-1 $\frac{4}{4}$에 색칠 **3-2** $\frac{5}{8}$에 색칠

4-1 (1) 진 **4-2** (1) 진
　　(2) 가　　　　　　(2) 가

2-1 분자가 분모보다 작은 분수에 ◯표, 분자가 분모와 같거나 분모보다 큰 분수에 △표 합니다.

3-1 분자가 분모와 같거나 분모보다 큰 분수는 $\frac{4}{4}$입니다.

3-2 분자가 분모보다 작은 분수는 $\frac{5}{8}$입니다.

4-1 (1) 분자가 분모보다 작으므로 진분수입니다.
　　(2) 분자가 분모보다 크므로 가분수입니다.

4-2 (1) 분자가 분모보다 작으므로 진분수입니다.
　　(2) 분자가 분모와 같으므로 가분수입니다.

108~109쪽	**기초 집중 연습**

1-1 예
, 3

1-2 예
, 4

2-1 80 **2-2** 50 cm

3-1
3-2

4-1 $\frac{9}{7}$, $\frac{10}{10}$ **4-2** 2개

기초 $\frac{9}{5}$ **5-1** 고추장

5-2 팥, 연유 **5-3** 영탁

2-1 1 m를 똑같이 5로 나눈 것 중의 1만큼이 20 cm 이므로 $\frac{4}{5}$ m는 80 cm입니다.

2-2 1 m를 똑같이 2로 나눈 것 중의 1만큼은 50 cm 입니다.

3-1 20 cm의 $\frac{3}{4}$은 15 cm, 35 cm의 $\frac{2}{7}$는 10 cm

3-2 24 cm의 $\frac{4}{6}$는 16 cm, 56 cm의 $\frac{5}{8}$는 35 cm

4-1 분자가 분모와 같거나 분모보다 큰 분수를 찾으면 $\frac{9}{7}$, $\frac{10}{10}$입니다.

4-2 진분수: $\frac{17}{20}$, $\frac{5}{7}$ ➡ 2개

기초 분자가 분모와 같거나 분모보다 큰 분수를 찾으면 $\frac{9}{5}$입니다.

5-1 진분수: $\frac{4}{9}$, $\frac{3}{10}$, 가분수: $\frac{9}{5}$

➡ 필요한 양이 가분수인 재료는 고추장입니다.

5-2 진분수: $\frac{4}{7}$, $\frac{3}{8}$, 가분수: $\frac{13}{6}$

➡ 필요한 양이 진분수인 재료는 팥과 연유입니다.

5-3 진분수: $\frac{7}{8}$, $\frac{10}{11}$, 가분수: $\frac{9}{9}$

➡ 색 테이프의 길이가 가분수인 사람은 영탁입니다.

111쪽	개념 · 원리 확인
1-1 $1\frac{3}{4}$	**1**-2 $2\frac{5}{8}$
2-1 3과 7분의 1	**2**-2 4와 6분의 5
3-1 $1\frac{4}{5}$에 색칠	**3**-2 $6\frac{1}{2}$에 색칠
4-1 $\frac{4}{3}$	**4**-2 $1\frac{1}{2}$

4-1 자연수 1은 $\frac{3}{3}$이므로 $1\frac{1}{3}$은 $\frac{1}{3}$이 4개인 $\frac{4}{3}$입니다.

4-2 $\frac{3}{2}$은 $\frac{2}{2}=1$과 $\frac{1}{2}$이므로 $1\frac{1}{2}$입니다.

113쪽	개념 · 원리 확인
1-1 >	**1**-2 <
2-1 >	**2**-2 <
3-1 $2\frac{1}{9}$에 ○표	**3**-2 $2\frac{1}{7}$에 △표
4-1 1, 2 / ( )(○)	**4**-2 25 / ( )(△)

2-2 색칠한 부분을 비교하면 $\frac{7}{5}<1\frac{3}{5}$입니다.

다른 풀이

$\frac{7}{5}=1\frac{2}{5}$이므로 $1\frac{2}{5}<1\frac{3}{5}$ ➡ $\frac{7}{5}<1\frac{3}{5}$

3-1 자연수의 크기를 비교하면 2>1이므로 $2\frac{1}{3}>1\frac{4}{9}$입니다.

3-2 자연수의 크기가 같으므로 분자의 크기를 비교하면 1<2이므로 $2\frac{1}{7}<2\frac{2}{7}$입니다.

4-1 $\frac{5}{3}=1\frac{2}{3}$이므로 $1\frac{2}{3}<2\frac{1}{3}$ ➡ $\frac{5}{3}<2\frac{1}{3}$

4-2 $3\frac{1}{8}=\frac{25}{8}$이므로 $\frac{25}{8}>\frac{17}{8}$ ➡ $3\frac{1}{8}>\frac{17}{8}$

114~115쪽	기초 집중 연습
1-1 $1\frac{7}{8}$	**1**-2 $2\frac{4}{5}$
2-1 2, 2 / $\frac{8}{3}$	**2**-2 (1) $\frac{12}{7}$ (2) $3\frac{1}{4}$
3-1 정우	**3**-2 ⓒ
4-1 (1) > (2) >	**4**-2 (1) < (2) =
기초 ( )(○)	**5**-1 수정
5-2 지호	**5**-3 도서관

1-1 자연수와 진분수로 이루어진 분수를 찾습니다.

2-1 2와 $\frac{2}{3}$ ➡ $2\frac{2}{3}$

$2=\frac{6}{3}$이므로 $2\frac{2}{3}$는 $\frac{1}{3}$이 8개인 $\frac{8}{3}$입니다.

2-2 (1) $1=\frac{7}{7}$ ➡ $1\frac{5}{7}$는 $\frac{1}{7}$이 12개인 $\frac{12}{7}$입니다.

(2) $\frac{13}{4}$은 $\frac{12}{4}=3$과 $\frac{1}{4}$이므로 $3\frac{1}{4}$입니다.

3-1 ・우석: $2\dfrac{1}{7}=\dfrac{15}{7}$ (×)　・정우: $3\dfrac{2}{3}=\dfrac{11}{3}$ (○)

3-2 ㉠ $\dfrac{23}{6}=3\dfrac{5}{6}$ (×)　㉡ $\dfrac{37}{10}=3\dfrac{7}{10}$ (○)

4-1 (1) 분자의 크기를 비교하면 $\dfrac{9}{5}>\dfrac{8}{5}$입니다.

(2) 자연수의 크기를 비교하면 $3\dfrac{1}{4}>2\dfrac{3}{4}$입니다.

4-2 (1) 자연수의 크기가 같으므로 분자의 크기를 비교하면 $3\dfrac{1}{5}<3\dfrac{4}{5}$입니다.

(2) $2\dfrac{1}{8}=\dfrac{17}{8}$

기초 분자의 크기를 비교하면 $\dfrac{9}{8}<\dfrac{11}{8}$입니다.

5-1 $\dfrac{9}{8}<\dfrac{11}{8}$이므로 수정이가 더 멀리 뛰었습니다.

5-2 $9\dfrac{3}{7}>8\dfrac{4}{7}$이므로 가지고 있는 끈의 길이가 더 긴 사람은 지호입니다.

5-3 $1\dfrac{5}{10}>1\dfrac{4}{10}$이므로 더 가까운 곳은 도서관입니다.

117쪽	개념 · 원리 확인

1-1 ( )(○)　　**1**-2 ( )(○)

2-1 4 L ,　　**2**-2 200 mL ,
4 리터　　　　　200 밀리리터

3-1 (1) mL에 ○표　**3**-2 (1) mL
(2) L에 ○표　　　　(2) L

4-1 3　　　　　　**4**-2 200

4-1 눈금을 읽으면 3 L입니다.

4-2 눈금을 읽으면 200 mL입니다.

119쪽	개념 · 원리 확인

1-1 4 L 600 mL ,　**1**-2 3 L 200 mL ,
4 리터 600 밀리리터　3 리터 200 밀리리터

2-1 1, 400　　　　**2**-2 2, 700

3-1 2, 2000, 2400　**3**-2 3, 3000, 3800

4-1 4000, 4, 4, 900　**4**-2 6000, 6, 6, 100

2-2 작은 눈금 한 칸은 100 mL입니다.
2 L와 작은 눈금 7칸이므로 2 L 700 mL입니다.

120~121쪽	기초 집중 연습

1-1 (1) 주사기　　　**1**-2 (1) 요구르트
(2) 욕조　　　　　(2) 주전자

2-1 (1) 2000　　　　**2**-2 (1) 3500
(2) 9　　　　　　(2) 5, 400

3-1 　**3**-2

4-1 >　　　　　　**4**-2 <

기초 2, 500　　　　**5**-1 2 L 500 mL

5-2 5 L 300 mL　　**5**-3 8700 mL

2-1 (1) 1 L=1000 mL ➡ 2 L=2000 mL
(2) 1000 mL=1 L ➡ 9000 mL=9 L

2-2 (1) 3 L 500 mL=3 L+500 mL
　　　　　　　=3000 mL+500 mL
　　　　　　　=3500 mL
(2) 5400 mL=5000 mL+400 mL
　　　　　=5 L+400 mL
　　　　　=5 L 400 mL

3-1 3 L 100 mL=3 L+100 mL
　　　　　　=3000 mL+100 mL
　　　　　　=3100 mL
4 L 500 mL=4 L+500 mL
　　　　　　=4000 mL+500 mL
　　　　　　=4500 mL

3-2 $2\,L\ 80\,mL = 2\,L + 80\,mL$
$\qquad\qquad = 2000\,mL + 80\,mL = 2080\,mL$
$\quad 2\,L\ 8\,mL = 2\,L + 8\,mL$
$\qquad\qquad = 2000\,mL + 8\,mL = 2008\,mL$

4-1 $7\,L\ 300\,mL = 7300\,mL$
➡ $7300\,mL > 7200\,mL$

4-2 $8\,L\ 400\,mL = 8400\,mL$
➡ $8400\,mL < 8600\,mL$

기초 $2500\,mL = 2000\,mL + 500\,mL$
$\qquad\qquad = 2\,L + 500\,mL = 2\,L\ 500\,mL$

5-2 페인트통의 들이는 $5300\,mL = 5\,L\ 300\,mL$입니다.

5-3 어항에 받은 물은 $8\,L\ 700\,mL = 8700\,mL$입니다.

122~123쪽 **누구나 100점 맞는 테스트**

1 6
2 (○)(△)
3 ×
4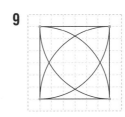
5 3, $\dfrac{2}{3}$
6 $\dfrac{13}{9}\,L$
7 $2\,L\ 100\,mL$
8 >
9 4군데
10 하, 수

1 8을 똑같이 4묶음으로 나눈 것 중의 3묶음은 6이 므로 8의 $\dfrac{3}{4}$은 6입니다.

3 세제 들이의 단위로는 L가 알맞습니다.

5 15를 5씩 묶으면 10은 3묶음 중의 2묶음이므로 10은 15의 $\dfrac{2}{3}$입니다.

6 $1 = \dfrac{9}{9}$이므로 $1\dfrac{4}{9}$는 $\dfrac{1}{9}$이 13개인 $\dfrac{13}{9}$입니다.

7 $2100\,mL = 2000\,mL + 100\,mL$
$\qquad\qquad = 2\,L + 100\,mL = 2\,L\ 100\,mL$

8 자연수의 크기를 비교하면 $3\dfrac{1}{6} > 2\dfrac{5}{6}$입니다.

9 정사각형의 꼭짓점을 원의 중 심으로 하는 원의 일부분을 4 개 그린 모양이므로 컴퍼스의 침을 꽂아야 할 곳은 모두 4 군데입니다.

10 • 12의 $\dfrac{1}{2}$은 6 ➡ 하 • 12의 $\dfrac{5}{6}$는 10 ➡ 수

124~129쪽 **특강** **창의·융합·코딩**

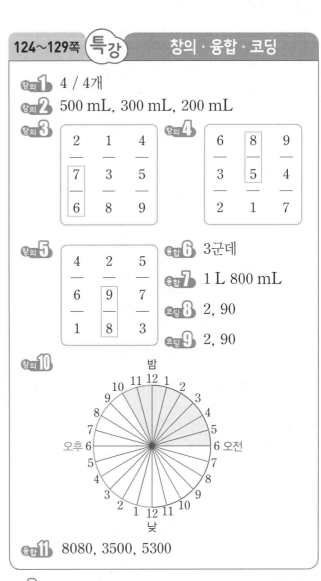

창의 1 4 / 4개

창의 2 $500\,mL$, $300\,mL$, $200\,mL$

창의 3
2	1	4
7	3	5
6	8	9

창의 4
6	8	9
3	5	4
2	1	7

창의 5
4	2	5
6	9	7
1	8	3

융합 6 3군데

융합 7 $1\,L\ 800\,mL$

코딩 8 2, 90

코딩 9 2, 90

창의 10

융합 11 8080, 3500, 5300

창의 2 지현이는 우유 $300\,mL$를 샀고, 태호는 우유 $200\,mL$와 $500\,mL$ 중에서 우유 $500\,mL$를 샀습니다. 따라서 민주는 우유 $200\,mL$를 샀습 니다.

정답 및 풀이

창의**3** $\frac{1}{6}$이 7개이므로 $\frac{7}{6}$입니다.

창의**4** $\frac{1}{5}$이 8개이므로 $\frac{8}{5}$입니다.

창의**5** $\frac{1}{8}$이 9개이므로 $\frac{9}{8}$입니다.

융합**6** 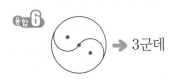 → 3군데

융합**7** 1되: 1800 mL＝1 L 800 mL

코딩**8** $\frac{13}{6} > \frac{7}{6}$ →

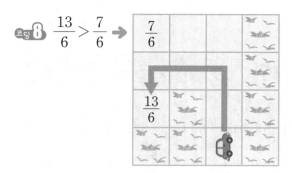

코딩**9** $2\frac{5}{8} > 2\frac{3}{8}$ →

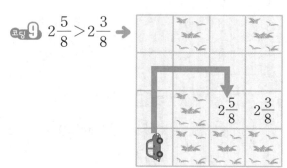

창의**10** 하루 24시간의 $\frac{1}{3}$만큼은 8시간이므로 밤 10시부터 8칸을 색칠해야 합니다.

융합**11** 3 L 500 mL＝3500 mL,
5 L 300 mL＝5300 mL,
8 L 80 mL＝8080 mL

✳ 개념 ◯✕ 퀴즈 정답

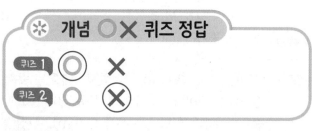

퀴즈 **1** ◯ ✕

퀴즈 **2** ◯ ✕

퀴즈 **2** 1000 m＝1 km → 4000 m＝4 km

4주 • 들이와 무게 / 자료의 정리

✳ 개념 ◯✕ 퀴즈

옳으면 ◯에, 틀리면 ✕에 ◯표 하세요.

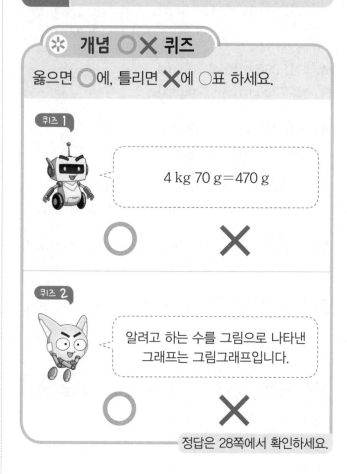

퀴즈 **1**

4 kg 70 g＝470 g

◯ ✕

퀴즈 **2**

알려고 하는 수를 그림으로 나타낸 그래프는 그림그래프입니다.

◯ ✕

정답은 28쪽에서 확인하세요.

132~133쪽 **4주에는 무엇을 공부할까?** ②

1-1 5 m 30 cm **1**-2 4 m 40 cm

2-1 7, 85 **2**-2 2, 70

3-1 읽는 책별 학생 수

5	◯		
4	◯		
3	◯	◯	
2	◯	◯	◯
1	◯	◯	◯
학생 수(명) \ 책	위인전	시집	동화책

3-2 가고 싶은 산별 학생 수

설악산	✕	✕	✕	✕	✕
지리산	✕	✕	✕	✕	
한라산	✕	✕	✕		
산 \ 학생 수(명)	1	2	3	4	5

1-1 m는 m끼리, cm는 cm끼리 계산합니다.

2-1 4 m 25 cm＋3 m 60 cm＝7 m 85 cm

2-2 9 m 75 cm－7 m 5 cm＝2 m 70 cm

3-1 ○를 위인전은 5개, 시집은 3개, 동화책은 2개 그립니다.

3-2 ×를 한라산은 3개, 지리산은 4개, 설악산은 5개 그립니다.

135쪽 **개념·원리 확인**

1-1 3, 500	**1**-2 4, 700
2-1 7, 500	**2**-2 8, 900
3-1 6, 700	**3**-2 7, 800
4-1 8 L 800 mL	**4**-2 9 L 900 mL

3-1
```
    5 L 300 mL
 +  1 L 400 mL
 ─────────────
    6 L 700 mL
```
3-2
```
    4 L 100 mL
 +  3 L 700 mL
 ─────────────
    7 L 800 mL
```

4-1
```
    5 L 200 mL
 +  3 L 600 mL
 ─────────────
    8 L 800 mL
```
4-2
```
    2 L 600 mL
 +  7 L 300 mL
 ─────────────
    9 L 900 mL
```

137쪽 **개념·원리 확인**

1-1 1, 200	**1**-2 1, 200
2-1 4, 400	**2**-2 3, 400
3-1 3, 400	**3**-2 5, 100
4-1 3 L 600 mL	**4**-2 3 L 200 mL

3-1
```
    8 L 500 mL
 -  5 L 100 mL
 ─────────────
    3 L 400 mL
```
3-2
```
    9 L 300 mL
 -  4 L 200 mL
 ─────────────
    5 L 100 mL
```

4-1
```
    4 L 800 mL
 -  1 L 200 mL
 ─────────────
    3 L 600 mL
```
4-2
```
    7 L 600 mL
 -  4 L 400 mL
 ─────────────
    3 L 200 mL
```

138~139쪽 **기초 집중 연습**

1-1 (1) 3 L 900 mL	**1**-2 (1) 7 L 900 mL
(2) 2 L 400 mL	(2) 4 L 300 mL
2-1 8 L 900 mL	**2**-2 3 L 300 mL
3-1 5, 800	**3**-2 4, 100
4-1 우석	**4**-2 민호

연산 2 L 800 mL

5-1 1, 200, 2, 800 / 2 L 800 mL

5-2 2 L 200 mL－1 L 100 mL＝1 L 100 mL, 1 L 100 mL

5-3 1 L 900 mL＋1 L 900 mL＝3 L 800 mL, 3 L 800 mL

2-1
```
    2 L 600 mL
 +  6 L 300 mL
 ─────────────
    8 L 900 mL
```
2-2
```
    5 L 700 mL
 -  2 L 400 mL
 ─────────────
    3 L 300 mL
```

3-1 2 L 700 mL＋3 L 100 mL＝5 L 800 mL

3-2 7 L 300 mL－3 L 200 mL＝4 L 100 mL

4-1
```
          1
    4 L 600 mL
 +  3 L 500 mL
 ─────────────
    8 L 100 mL
```
참고
mL끼리의 합이 1000이거나 1000보다 크면 1000 mL를 1 L로 받아올림합니다.

4-2
```
    2   1000
    3̶ L 100 mL
 -  1 L 400 mL
 ─────────────
    1 L 700 mL
```
참고
mL끼리 뺄 수 없을 때는 1 L를 1000 mL로 받아내림합니다.

연산
```
    1 L 600 mL
 +  1 L 200 mL
 ─────────────
    2 L 800 mL
```

5-1 (어제와 오늘 마신 우유의 양)
  ＝(어제 마신 우유의 양)＋(오늘 마신 우유의 양)
  ＝1 L 600 mL＋1 L 200 mL
  ＝2 L 800 mL

5-2 (어제 마신 물의 양)－(오늘 마신 물의 양)
  ＝2 L 200 mL－1 L 100 mL
  ＝1 L 100 mL

5-3

$$
\begin{array}{r}
1 \\
1\,L\ 900\,mL \\
+\ 1\,L\ 900\,mL \\
\hline
3\,L\ 800\,mL
\end{array}
$$

➡ 정훈이가 산 세제는 모두 3 L 800 mL입니다.

141쪽	개념·원리 확인

1-1 모니터 **1-2** 굴

2-1 5 kg **2-2** 700 g

3-1 (1) g **3-2** (1) g
　　(2) kg 　　(2) t

4-1 200 **4-2** 1

1-1 모니터는 kg, 숟가락은 g 단위를 사용하기에 적당합니다.

1-2 수박은 kg, 굴은 g 단위를 사용하기에 적당합니다.

3-1 (1) 연필 한 자루의 무게는 1 kg보다 가벼우므로 약 5 g입니다.
　　(2) 돌고래 한 마리의 무게는 6400 t보다 가벼우므로 약 6400 kg입니다.

3-2 (1) 우산 한 자루의 무게는 1 kg보다 가벼우므로 약 400 g입니다.
　　(2) 트럭 한 대의 무게는 1 t보다 무거우므로 약 2 t입니다.

143쪽	개념·원리 확인

1-1 3 킬로그램 900 그램 **1-2** 5 kg 300 g

2-1 8, 8000, 8200 **2-2** 9, 9000, 9600

3-1 5000, 5, 5, 800 **3-2** 7000, 7, 7, 100

4-1 1200 / 1, 200 **4-2** 1400 / 1, 400

4-1 저울의 눈금을 읽으면 1200 g입니다.
➡ 1200 g＝1000 g＋200 g
　　＝1 kg＋200 g＝1 kg 200 g

4-2 저울의 눈금을 읽으면 1400 g입니다.
➡ 1400 g＝1000 g＋400 g
　　＝1 kg＋400 g＝1 kg 400 g

144~145쪽	기초 집중 연습

1-1 (1) 냉장고 **1-2** (1) 하마
　　(2) 사과 　　(2) 바둑돌

2-1 (선 연결) **2-2** (선 연결)

3-1 (1) 3000 **3-2** (1) 1900
　　(2) 2000 　　(2) 6, 700

4-1 ＝ **4-2** ＞

기초 7300 **5-1** 7300 g

5-2 2 kg 500 g **5-3** 3400 g

2-1 kg은 킬로그램, g은 그램이라고 읽습니다.

2-2 t은 톤이라고 읽습니다.

3-1 (1) 1 kg＝1000 g ➡ 3 kg＝3000 g
　　(2) 1 t＝1000 kg ➡ 2 t＝2000 kg

3-2 (1) 1 kg 900 g＝1 kg＋900 g
　　　　＝1000 g＋900 g＝1900 g
　　(2) 6700 g＝6000 g＋700 g
　　　　＝6 kg＋700 g＝6 kg 700 g

4-1 4 kg 200 g＝4 kg＋200 g
　　　　＝4000 g＋200 g＝4200 g

4-2 9400 g＝9000 g＋400 g
　　　　＝9 kg＋400 g＝9 kg 400 g
➡ 9400 g＞9 kg 40 g

다른 풀이
9 kg 40 g＝9 kg＋40 g
　　　＝9000 g＋40 g＝9040 g
➡ 9400 g＞9 kg 40 g

기초 7 kg 300 g＝7 kg＋300 g
　　　　＝7000 g＋300 g＝7300 g

5-2 2500 g＝2 kg 500 g이므로 윤수가 산 옥수수의 무게는 2 kg 500 g입니다.

5-3 3 kg 400 g＝3400 g이므로 정민이가 모은 헌 종이의 무게는 3400 g입니다.

147쪽	개념 · 원리 확인

1-1 5, 700 **1-**2 3, 700
2-1 5, 800 **2-**2 8, 400
3-1 9, 900 **3-**2 6, 500
4-1 9 kg 600 g **4-**2 6 kg 800 g

3-1
```
    3 kg 400 g
  + 6 kg 500 g
    9 kg 900 g
```
3-2
```
    5 kg 300 g
  + 1 kg 200 g
    6 kg 500 g
```

4-1
```
    3 kg 200 g
  + 6 kg 400 g
    9 kg 600 g
```
4-2
```
    2 kg 500 g
  + 4 kg 300 g
    6 kg 800 g
```

149쪽	개념 · 원리 확인

1-1 1, 200 **1-**2 2, 400
2-1 5, 300 **2-**2 4, 200
3-1 4, 400 **3-**2 3, 600
4-1 1 kg 500 g **4-**2 4 kg 300 g

3-1
```
    7 kg 600 g
  - 3 kg 200 g
    4 kg 400 g
```
3-2
```
    5 kg 700 g
  - 2 kg 100 g
    3 kg 600 g
```

4-1
```
    3 kg 800 g
  - 2 kg 300 g
    1 kg 500 g
```
4-2
```
    8 kg 900 g
  - 4 kg 600 g
    4 kg 300 g
```

150~151쪽	기초 집중 연습

1-1 (1) 8 kg 600 g **1-**2 (1) 6 kg 800 g
(2) 4 kg 100 g (2) 5 kg 200 g
2-1 5 kg 800 g **2-**2 2 kg 200 g
3-1 8, 700 **3-**2 2, 500
4-1 수현 **4-**2 아라
연산 7 kg 800 g
5-1 4, 300, 7, 800 / 7 kg 800 g
5-2 2 kg 400 g − 1 kg 300 g = 1 kg 100 g,
1 kg 100 g
5-3 1 kg 500 g + 1 kg 500 g = 3 kg, 3 kg

2-1 3 kg 700 g + 2 kg 100 g = 5 kg 800 g

2-2 7 kg 600 g − 5 kg 400 g = 2 kg 200 g

3-1 4 kg 300 g + 4 kg 400 g = 8 kg 700 g

3-2 6 kg 800 g − 4 kg 300 g = 2 kg 500 g

4-1
```
       1
    4 kg 900 g
  + 3 kg 500 g
    8 kg 400 g
```
참고
g끼리의 합이 1000이거나 1000보다 크면 1000 g을 1 kg으로 받아올림합니다.

4-2
```
    4    1000
    5̶ kg 600 g
  - 2 kg 800 g
    2 kg 800 g
```
참고
g끼리 뺄 수 없을 때는 1 kg을 1000 g으로 받아내림합니다.

연산
```
    3 kg 500 g
  + 4 kg 300 g
    7 kg 800 g
```

5-1 (두 사람이 캔 고구마의 무게)
= (주호가 캔 고구마의 무게)
+ (태희가 캔 고구마의 무게)
= 3 kg 500 g + 4 kg 300 g
= 7 kg 800 g

5-2 (책을 꺼낸 가방의 무게)
= (처음 가방의 무게) − (꺼낸 책의 무게)
= 2 kg 400 g − 1 kg 300 g = 1 kg 100 g

5-3
```
       1
    1 kg 500 g
  + 1 kg 500 g
    3 kg
```
➜ 밀가루 2봉지의 무게는 3 kg입니다.

153쪽	개념 · 원리 확인

1-1 14명 **1-**2 12개
2-1 5명 **2-**2 4개
3-1 장미 **3-**2 지우개
4-1 튤립 **4-**2 가위

1-1 합계가 14명이므로 조사한 학생은 모두 14명입니다.

1-2 합계가 12개이므로 모은 학용품은 모두 12개입니다.

2-1 국화를 좋아하는 학생은 5명입니다.

2-2 지훈이가 모은 자는 4개입니다.

3-1 장미를 좋아하는 학생이 7명으로 가장 많습니다.

3-2 지우개가 5개로 가장 많습니다.

4-1 튤립을 좋아하는 학생이 2명으로 가장 적습니다.

4-2 가위가 3개로 가장 적습니다.

155쪽	개념 · 원리 확인

1-1 좋아하는 과목에 ○표
1-2 과일 가게에 있는 과일에 ○표

2-1 4, 7, 5	**2-2** 8, 5, 4
3-1 5, 3	**3-2** 3, 3, 2

3-1 배우고 싶은 악기별 학생 수를 세어 봅니다.

> 주의
> 두 번 세거나 빠뜨리지 않도록 주의합니다.

3-2 혈액형별 학생 수를 세어 봅니다.

156~157쪽	기초 집중 연습

1-1 캐나다, 중국, 미국	**1-2** 3동, 1동, 2동
2-1 6, 5, 9, 20	**2-2** 5, 6, 4, 9, 24
3-1 연날리기, 9명	**3-2** 가을, 4명
기초 45, 31	**4-1** 45−31=14, 14 kg
4-2 40−29=11, 11개	
4-3 91−65=26, 26개	

1-1 학생 수를 비교하면 6<8<11이므로 가장 적은 학생이 가고 싶은 나라부터 쓰면 캐나다, 중국, 미국입니다.

1-2 자동차 수를 비교하면 25>18>17이므로 가장 많은 동부터 쓰면 3동, 1동, 2동입니다.

2-1 (합계)=6+5+9=20(명)

2-2 (합계)=5+6+4+9=24(명)

3-1 학생 수를 비교하면 9>6>5이므로 가장 많은 학생이 좋아하는 민속놀이는 연날리기이고, 9명입니다.

3-2 학생 수를 비교하면 4<5<6<9이므로 가장 적은 학생이 태어난 계절은 가을이고, 4명입니다.

4-1 나 목장의 우유 생산량: 45 kg
다 목장의 우유 생산량: 31 kg
➔ 45−31=14 (kg)

4-2 가 마을의 가로등 수: 29개
라 마을의 가로등 수: 40개
➔ 40−29=11(개)

4-3 연아가 접은 종이별 수: 65개
희주가 접은 종이별 수: 91개
➔ 91−65=26(개)

159쪽	개념 · 원리 확인

1-1 돼지에 ○표	**1-2** 감에 ○표
2-1 10, 1	**2-2** 10, 1
3-1 22마리	**3-2** 17개
4-1 가 목장	**4-2** 태연

2-1 🐷 은 10마리를 나타내고, 🐽 은 1마리를 나타냅니다.

2-2 🫐 은 10개를 나타내고, 🫐 은 1개를 나타냅니다.

3-1 🐷 이 2개, 🐽 이 2개이므로 22마리입니다.

3-2 🫐이 1개, 🫐이 7개이므로 17개입니다.

4-1 🐷의 수가 가장 많은 목장을 찾으면 가 목장입니다.

4-2 🫐의 수가 가장 많은 학생을 찾으면 태연입니다.

| 161쪽 | 개념 · 원리 확인 |

1-1 (○)( ) **1-2** ( )(○)

2-1 3, 2 **2-2** 1, 7

3-1 농장별 오리의 수

농장	오리의 수
가	△△△△△▲▲▲
나	△△△▲▲
다	△△△△△

△ 10마리
▲ 1마리

3-2 곡식별 판매량

곡식	판매량
쌀	◎◎○○○○○○○
보리	◎○○○○○○○
콩	◎○

◎ 100 kg
○ 10 kg

2-1 나 농장의 오리는 32마리이므로 △ 3개, ▲ 2개를 그려야 합니다.

2-2 보리의 판매량은 170 kg이므로 ◎ 1개, ○ 7개를 그려야 합니다.

3-1 나 농장의 오리는 32마리이므로 △ 3개, ▲ 2개를 그립니다.
다 농장의 오리는 50마리이므로 △ 5개를 그립니다.

> **주의**
> △로 그릴 수 있는 만큼 그리고 남은 수만큼은 ▲로 그립니다.

3-2 보리의 판매량은 170 kg이므로 ◎ 1개, ○ 7개를 그립니다.
콩의 판매량은 110 kg이므로 ◎ 1개, ○ 1개를 그립니다.

| 162~163쪽 | 기초 집중 연습 |

1-1 23대 **1-2** 260 kg

2-1 반별 안경을 쓴 학생 수

반	학생 수
1반	◎○○○○○
2반	◎◎○
3반	○○○○○○○○○

◎ 10명
○ 1명

2-2 모둠별 모은 우표의 수

모둠	우표의 수
가	□□□□□□□
나	□□□□□□□□□
다	□□□□□□

▣ 10장
□ 1장

3-1 반별 안경을 쓴 학생 수

반	학생 수
1반	◎△○
2반	◎◎○
3반	△○○○○

◎ 10명
△ 5명
○ 1명

3-2 모둠별 모은 우표의 수

모둠	우표의 수
가	□□□△
나	□□△□□□
다	□□□□□□

▣ 10장
△ 5장
□ 1장

기초 28, 20, 42

4-1 정훈, 현아, 예진

4-2 나 목장, 가 목장, 다 목장

4-3 아라

1-1 🚗이 2개, 🚙이 3개이므로 23대입니다.

1-2 🍓이 2개, 🍓이 6개이므로 260 kg입니다.

기초 · 현아 : 📕 2개, 📘 8개 ➡ 28권
· 예진 : 📕 2개 ➡ 20권
· 정훈 : 📕 4개, 📘 2개 ➡ 42권

4-1 큰 그림의 수를 비교하면 가장 많이 읽은 학생은 정훈이고, 현아와 예진이의 작은 그림의 수를 비교하면 두 번째로 많이 읽은 학생은 현아, 가장 적게 읽은 학생은 예진입니다.

다른 풀이

읽은 책의 수를 비교하면 42>28>20이므로 가장 많이 읽은 학생부터 쓰면 정훈, 현아, 예진입니다.

4-2 큰 그림의 수를 비교하면 생산량이 가장 많은 목장은 다 목장이고, 가와 나 목장의 작은 그림의 수를 비교하면 두 번째로 많은 목장은 가 목장, 가장 적은 목장은 나 목장입니다.

4-3 큰 그림의 수를 비교하면 가장 많이 판매한 주는 2주이고, 1주와 3주의 작은 그림의 수를 비교하면 가장 적게 판매한 주는 1주입니다.

164~165쪽 　누구나 100점 맞는 테스트

1 7, 500　　　　　**2** 7, 900
3 민호
4

반별 우유를 먹는 학생 수

반	학생 수
1반	□○○○○○○○
2반	□□○○○
3반	□□□

□10명
○1명

5 그림그래프　　　　**6** 3, 300
7 수박　　　　　　　**8** 우석
9 2 kg 400 g
10 2 kg 300 g+2 kg 500 g=4 kg 800 g,
　　4 kg 800 g

---

1 7500 g=7000 g+500 g
　　＝7 kg+500 g=7 kg 500 g

2 L는 L끼리, mL는 mL끼리 더합니다.

3 수박 무게의 단위로는 kg이 알맞습니다.

6　　6 L　700 mL
　　 － 3 L　400 mL
　　―――――――――
　　　　3 L　300 mL

7 학생 수를 비교하면 3<4<6<7이므로 수박을 좋아하는 학생이 가장 적습니다.

8 정우: 포도를 좋아하는 학생은 7명입니다.

9 3 kg 800 g−1 kg 400 g=2 kg 400 g

166~171쪽 특강　창의·융합·코딩

창의**1** 1, 1, 1, 2, 2　　창의**2** 우진
융합**3** 81건　　　　　　융합**4** 3, 8, 5, 4
융합**5** kg, g, t　　　　코딩**6** 3 kg 100 g
창의**7** 9 kg 600 g+3 kg 100 g=12 kg 700 g,
　　12 kg 700 g
창의**8** 7 kg 300 g+6 kg 500 g=13 kg 800 g,
　　13 kg 800 g
창의**9** 9 kg 600 g−6 kg 500 g=3 kg 100 g,
　　3 kg 100 g
창의**10** 6 kg 500 g−3 kg 100 g=3 kg 400 g,
　　3 kg 400 g
융합**11** 2 L 530 mL　　코딩**12** 3 L 900 mL

창의**2** 우진이의 가방은 선혜의 가방보다 더 무겁고 선혜의 가방은 3개의 가방 중 가장 가볍지 않으므로 희찬이의 가방보다 더 무겁습니다. 따라서 가장 무거운 가방을 가지고 있는 사람은 우진입니다.

융합**3** 🏯이 8개, 🏯이 1개이므로 81건입니다.

융합**5** 당근: g, 코끼리: t, 킥보드: kg

코딩**6** 3100 g>1000 g ➡ 3100 g=3 kg 100 g

융합**11** (혈장의 양)=(혈액의 양)−(혈구의 양)
　　　　　　 ＝4 L 600 mL−2 L 70 mL
　　　　　　 ＝2 L 530 mL

코딩**12** 1 L 300 mL+1 L 300 mL+1 L 300 mL
　　＝2 L 600 mL+1 L 300 mL
　　＝3 L 900 mL

✳ 개념 ○✕ 퀴즈 정답

퀴즈**1** 4 kg 70 g=4070 g

정답은
이안에
있어！

수학 전문 교재

●연산 학습
빅터연산	예비초~6학년, 총 20권
창의융합 빅터연산	예비초~4학년, 총 16권

●개념 학습
개념클릭 해법수학	1~6학년, 학기용

●수준별 수학 전문서
해결의법칙(개념/유형/응용)	1~6학년, 학기용

●단원평가 대비
수학 단원평가	1~6학년, 학기용
일등전략 초등 수학	1~6학년, 학기용

●단기완성 학습
초등 수학전략	1~6학년, 학기용

●상위권 학습
최고수준 S 수학	1~6학년, 학기용
최고수준 수학	1~6학년, 학기용
최강 TOT 수학	1~6학년, 학년용

●경시대회 대비
해법 수학경시대회 기출문제	1~6학년, 학기용

예비 중등 교재

●**해법 반편성 배치고사 예상문제**	6학년
●**해법 신입생 시리즈(수학/영어)**	6학년

맞춤형 학교 시험대비 교재

●**열공 전과목 단원평가**	1~6학년, 학기용(1학기 2~6년)

한자 교재

●**한자능력검정시험 자격증 한번에 따기**	8~3급, 총 9권
●**씽씽 한자 자격시험**	8~5급, 총 4권
●**한자 전략**	8~5급Ⅱ, 총 12권

40년의 역사
전국 초·중학생 213만 명의 선택

HME 학력평가
해법수학 · 해법국어

응시 학년
수학 | 초등 1학년 ~ 중학 3학년
국어 | 초등 1학년 ~ 초등 6학년

응시 횟수
수학 | 연 2회 (6월 / 11월)
국어 | 연 1회 (11월)

주최 **천재교육** | 주관 **한국학력평가 인증연구소** | 후원 **서울교육대학교**

*응시 날짜는 변동될 수 있으며, 더 자세한 내용은 HME 홈페이지에서 확인 바랍니다.